クリスチャンにささやく

クリスチャンにささやく

——現代アート論集

小林康夫

水声社

目次

【デ・ジェンダリズムについての対話】

創造的な差異へ――痛みを通して差を超える

Y　おそらく考えなければならないのは、美学と倫理とがどのように出会うかという問題ではないだろうか。アートは、ただたんに美学的な――つまり究極的には「美しい」という言語形式の判断に帰着するような――次元ではなくて、もっと人間の根源的なエチカにかかわる次元にまで根を張っているというか。あたりまえのことではあるんだが、誰も突きつめては考えたことのない、そういう二つの次元の交差というか、出会いというか、そういうことを二十世紀という時代が終わっていこうとするいま、もう一度考え直しておかなければならないということ、ね。

X　そうなんだけど、わたしとしては、すぐにつけ加えておきたいわね。ただ美学そしてアートにおけるエチカが問題になるだけではなくて、むしろ倫理の方こそ問い直されなければならないんじゃないかってね。いまの時代は、何が正しくて、何が正しくないのか、ますますはっきりしなくなっている。でも、それはけっして、たんにマイナスの現象じゃないんじゃないか、と思うわ。むしろ「正しいこと」と「正しくないこと」が明確に分離可能だって考えるような倫理のあり方から、わたしたちは脱する必要があるのでは……

Y　それは、倫理ということを、あらかじめ設定されたなんらかの普遍性のレベルで考えるのではなくて、もっと別の仕方で考えようということだよね？

X　そう。だって、具体的で、特異的なそれぞれの人の存在を通っていかない「正しさ」なんて、たんなるイデオロギーですもの。そんな上から降ってきたような「正しさ」を基準にするのではなくて、個々人にとっての絶対的に否定しがたい現実から、それぞれの倫理を創造しようとするのでなければならないと思うんだけど、そのときそれは、かぎりなくアートに近づいていくの。たとえば、わたしの知らない六〇年代の終りに、世界のあちこちで立ち上がった

「風」――あれだって、イデオロギーの問題ではなくて、自分たちの足元からの解放こそがめざされていたと思うわ。あの時代と世紀が終わっていこうとしているわたしたちのこの時代と、どこか底でつながっているんだとわたしは感じている。

Y　そうだよね。あの時代だって、それがかならずしもすべて正しかったとあとで言えるわけではないんだが、あの過激なエネルギーの根底にはやはり倫理と美学との不思議な結合があったものね。思想の限界を超えた創造といったらいいだろうかしら。みずからの存在の特異性から出発して、普遍的な基準などないところで、しかし普遍性の方に向かって危うい決定や判断を積み重ねていくこと、それが創造だものね。ぼくたちは創造的なエチカの可能性について語っていることになる。

X　そして、それがかならずそれぞれの存在、それぞれの特異な身体を通っていかなければならないということをね。そして逆に、アートもまた、もし個人が世界と向かいあうだけではなくて、自分と他者とのあいだの関係、つまり「あなたとわたしのあいだ」にあるわたしの身体から出発するのだとしたら、それはどうしたって根源的なエチカの相貌を帯びることになるわ。

Y　どうしても身体じゃなくてはならない……？

X　そうでしょ？　ほかに何があるの？　わたしたちの存在、それは否応なく、まずは身体だわ。知覚する身体、語る身体……でもまた、同時にいつだって「あなたとわたしのあいだ」にある身体。

Y　性としてある身体だね。

X　そうよ。でも、「男」と「女」という二元的な性差に還元できないような性の身体というべきでしょうね。だって問題は「男」か「女」かという性的なアイデンティティを二者択一的に決定することではなくて、そういうふうにのしかかってくる社会的な、歴史的な決定に抵抗したり、それを揺るがせたりしながら、他者とのあいだで生きるべきみずからの身体を、あらためて創造していくことなんだもの。

Y　身体も、性も「すでにある」という仕方で考えられるのが普通なわけだけど、それを逆転させて、身体や性を創造するというか、「すでにある」ということ自体をあとからつくりだすということだね。ぼくはそれを根源的な時間錯誤《アナクロニズム》と呼ぶのだけれど、それこそ芸術という行為の根底にあるものだと思うね。

X　さらに大事なことは、身体という、誰にとっても自分の固有性の根拠であるものが、しかし自分ひとりだけに帰属するのではなく、他者とともにあることに開かれており——その「開《ひら》け」こそ、実は性というもの——その「開け」を通じて創造され、実現されなければならないということ。

Y　他者という回路を通さなければ、自分自身の固有性にすら到達できない。そこにこそ、創造的なアイデンティティの鍵があるわけだ。でも、そのうえで、ぼくは、そういう創造の倫理は、けっして痛みを伴わないわけではないということを言っておきたいな。それは、けっして快楽そして恍惚といったファクターだけを起動させるわけではないんだ。むしろそこでは、痛みとしてある身体、苦しむ身体こそが問題なんだよね。

X　いつだってほんとうの快楽は苦痛と切り離されないわ。身体を創造するということは、まずはこの不格好で苦痛に満ちた身体を引き受けるということ。そして、さらにはこの身体を与えることね、他者に、未知のものに、未来に、ね。

Y　曝《さら》し、むきだしにし、あるいは隠し、偽装し、そして切断したり、交換したり……さまざまな戦略を用いて、他者とともに、他者との関係においてみずからの身体を投げだし、与える。それは、どこかで供犠という大きな問題につながっていくね。

X　たぶん、それは避けられない。でも、それは、神とか、国家とかという超越的な存在への供犠ではなくて、むしろみずからの存在そのものの肯定のためだというべきでしょうね。それでも、苦に応え、苦を通っていくことは必然的だとわたしは思う。苦痛を受けること、その受苦性こそ身体の最終定義ですものね。苦痛は、ある意味では他者とは分かちがたいものでしょ。でも、それだからこそ、それが「あなたとわたしのあいだ」の関係において認識され、記憶され、分有されるとすれば、そこに、もうそれだけで、どこかから降ってきたような抽象的な「正しさ」などとはなんの関係もない、しかしほんとうに倫理的なものの萌芽があるわ。

Y　ミクロの倫理だけど、しかし身体に根ざしている……

X　わたしたちのそれぞれの特異な存在がそこでは肯定されるの。他者の激しい、異質な力によって変えられ、侵されつつ、しかしそのような変容そのものをみずからの創造として受けいれ、肯定する。それはけっして「思想」なんかじゃない肯定だわ。

Y　「自我」などというくだらない閉域を守るのではないような肯定性だね。そうした特異性の創造的な肯定、それがぼくたちの希望だね。でも、そこでぼくは思うのだけど、こんな激しさにいったい、ひとびとは耐えることができるだろうか、とね。

X　でも、わたしたちの日常をとりまく微温的な雰囲気に欺かれるのでないとしたら、やっぱり時代は激しいのだわ。時代の水圧に対抗できるだけの激しさが、これほど求められているときはないとわたしは思う。しかも、そういう激しさが表現となることだけが、アートの存在理由だもの。非常な忍耐を通じて、そんな耐えがたさの領域にまでアートは行き着いてみなければならないのでは……そして、そこではじめて触知可能になる極度の優しさ、残酷さと見極めがつかないような優しさがあるのでは……

Y　それが、壊れつつ、しかしより激しくなる抱擁ということになるのだね。こうやって、あなたはやっぱり最後には「愛」に行き着く。

X　そう、もし名によってわれわれは何かを耐えているのだとしたら、そしてもし「愛」がもはや名によっては耐えきれない領域にまで、わたしたちを連れだすのだとしたら、あなたはわたしのことをそんなふうに言ってもいい。

Y　たしかに、ぼくたちの身体は――「苦」というのと同じことなのだけど――また「愛」の領域でもあるのだった。とすれば、「愛」の激しさのうちで、美学と倫理とがたがいに崩れ落ちるように抱擁するということになるのだろうか。

X　（このように、抱きあうわたしたちのように……）

Ⅰ 時間の夜を通って

【クリスチャン・ボルタンスキーにささやく】

クリスチャンにささやく――インファンスの可能な／不可能な儀礼

クリスチャン Christian、きみが誰だか、ぼくは識らない。きみのファミリー・ネームも識らない。いや、ファミリー・ネームなどばっさり忘れてしまおう。だって、ファミリー・ネームからさまざまな〈生の物語〉がはじまるのだから。クリスチャン、それは、ファミリーのなかに埋め込まれたままで、まだ世界――そう、このあまりにも悲劇的で、かつ途方もなく喜劇的な世界――のなかで、〈生〉をはじめていない、イノセントなインファンス（コドモ）infans の名。ごめん、infans は語源的には、〈言葉ナキモノ〉なのに、きみはきっとあまりに饒舌なのだが、でもきみの饒舌は、まるで秘密の空洞のように、沈黙を抱え込んでいないわけではないのではないかい？　いや、「クリスチャン」とぼくがささやきかけているのは、まさしくその空洞としてあるきみへ、なのだけどね。

だって、きみは、〈空洞〉から生まれた存在《もの》だもの。ちがうかしら。きみが生まれたとき、きみに父親はいなかった。ポリオにかかって歩けない母親だけがいた。でも、それは、リアルという虚構。母親の家の床下には、誰も知らない〈空洞〉があって、そこにまるで〈亡霊〉のように、息をひそめて父親が生きていた。(1)〈いない存在〉と〈動けない存在〉のあいだの奇妙な婚姻、そこからきみが出現した。それだけで、クリスチャン、ぼくは、きみの名が——秘密の懐胎だ！——まさに正当にChrist-という印をもっているのだ、と言いたくなってしまう。もちろん、人々は、自分という存在が懐胎された状況を覚えているわけはないと言うだろうが、きみだけは、不可能性と可能性のあいだにひとつの〈存在の運命〉が決定されることもたしかにあると、なんとか首肯してくれるのではないだろうか。だって、インファンスにとっては、時間は線的に順序づけられていないのだから。

インファンスにとっての最大の課題のひとつは、線的な時間を構成すること。それによってはじめて自分という統合の経験が可能になる。そのためにこそ物語がある。物語の中身はなんでもいい。自己同一化が可能な〈人物〉があって、それが動いていく。はじめとおわりがはっきりした線的な構成《コンポジション》がありさえすればいい。インファンスは、そこから学んで、自分が生きている時間を線的に秩序づけることができるようになる。そこから記憶が可能になり、「わたし」という経験が可能になる。

　ところが、きみの事例は、ちょっとちがっていたかもしれない。物語のフィギュアーは、きみ自身だった。しかも、物語のはじめには〈空洞〉があった。床下に隠された空間があったのだ。かつ、そこには、〈影〉のように、誰かが、――のちにそれが〈ユダヤ人〉という「禁じられた存在《もの》」としてのきみの父親だということになるのだが――棲んでいた。まちがいなくきみ自身の物語であるのに、はじめは、きみにはまったく記憶がない〈空洞〉によって占拠されている。きみの物語、きみの時間なのに、きみにはどうやってそれがはじまったのか、わからない。物語は線的に統一されず、時間は〈空洞〉のなかに消えて行く。

　だから――まちがっていたら、ごめん――きみは、時間というものを信じることができない。時間が何であるのか、――ほんとうは誰も知らないのだけど、その暗黙の了解の上にわれわれの全現実が打ち立てられているのだ――きみにはわからない。だから、きみは、安易に線的に時間を了解してしまっているわれわれからすると、まるで「時間というものがない」かのように振舞うことができる。物語的な文脈がいっさいないところで、ことさらに強い意味のないことを、ずっと反復し続けることができる。たとえば土で球をつくるというようなことを、何カ月もかけて三千回も繰り返すことができる。それは、「完全な球」をもとめてだったということになっているけれど、どうかな？　ぼくには、きみがそうやって、時間を構成しようとしていたと思える。土のボール一個、それが「時間」の単位。その反復。だが、そうなると、きみのこの「時計」は、その度ごとに消えてしまうのではなくて、――作るそばから壊してしまうのなら別なのだが――きみの部屋という空間のなかに、並べられることになる。「時間」の構成が、そのまま空間の構成となる。物語的な線的な時間構成が、反復によって生み出される多元的な空間構成となる。「時間」の空間的展開――そうして「時間」を構成することを学んだきみは、たとえばその展開に、「クリスチャン・ボルタンスキー」と署名することができるようになる。

でも、それは、まるで「時間の墓地」。奇妙な言い方だということはわかっているが、――数百本の「風鈴」（アニミタス＝祭壇）でも同じことだが――三千個の土のボールが並んだ空間はそれでしかありえない。問題は、安易に時間を了解してしまっているわれわれは、その空間を一瞬のうちに「墓地」として了解してしまって、なかなかそれが、「時間」へのアプローチだということを理解できないということ。だが、このようなことを言われると、われわれは、すぐに反作用として、そこに埋められている個々の「生の物語」に耳を傾けなくてはいけないというモラルの方向に思考を拘束しようとする。決定的に失われてしまった生き生きとした時間を甦らせるとかなんとか。ちがうよね？　最初に個々の「生」の時間があって、それが失われて、だからいま、それを、「記憶」として甦らせるという、「時間」を前提にした「物語」ではないよね？　むしろ、「時間」というものを、反復による空間的な隔たりの展開を通して理解し、信じようとする不可能＝可能な試みではないだろうか、とぼくは思う。

一個の土のボール、それは物語以前だ。一枚の顔写真、それは物語以前だ。だが、それらが、ひとつの空間に十分に多数集められ、並べられ、構成されると、なにか「空間化された時間」のようなもの、「空間化された物語」のようなもの、が立ち昇る。あえて言えば、それは、儀礼的な時間＝空間ではないだろうか。儀礼とは、まさに、共同体にとっての神話的「時間」を、反復的に生き直すことで、自分のうちに統合する仕掛けであるからだ。だが、クリスチャン、きみの「儀礼」は、共同体によって了解される物語以前であるがゆえに、また、同時に、インファンスの遊びの時間＝空間でもあるのではないか。つまり、「遊び」とは自分のための「儀礼」ということだよね。儀礼＝遊びを通して、きみは、「時間」を問い、「時間」を「空間」へと開く。

そして、この「空間」を、今度は、（不特定多数の）人々へと「開く」。それこそが、アート。

つまり、ここに至っては、アーティストとしてのクリスチャン・ボルタンスキーさんと呼ぶしかないのだが、きみは、きみのための「儀礼＝遊び」の空間に、人々を招き入れる。それは、きみだけの「儀礼＝遊び」であるにもかかわらず、しかしまた、あらゆる現実の共同体の閾を超えた、もっとも広い意味での「人間」（きみは「マンシュリッヒ Menschlich」と言うかもしれない）のための、かれも彼女も誰もがそれであるところの「人間」のための「儀礼＝遊び」でもある、そうでなければならない、ときみは宣言する。

この「儀礼＝遊び」の場に入ると、誰もが居心地が悪い。まるで自分と関係のない外国の村の墓地に、理由なく、いるときのように居心地が悪い。誰もが、ここには、自分の「時間」がないと感じる。突然、時間の流れのなかに〈空洞〉が開いて、そこに落ち込んでしまった感覚。ここでは時間が停まってしまっている。にもかかわらず、ほら、そこには、わたしの知らない誰かが、わたしを見詰めている。わたしの知らない誰かが、耳元でなにかをささやいていたりする。かならずしも亡霊というわけではない。だって、これは、降霊術の儀礼ではないのだから。ただ、この空間の全体が、眼差しをもち、声をもち、そうしてわたしに、「あなたもわたしと同じように人間であるのよ」と告げている。すなわち、生きられた時間を分有することができないのに、（そして時間を分有することこそ、人間の共同性の根源的次元なのに）、にもかかわらず、そうした共同性のはるか手前で、分有できない不可能性そのものを分有するというアポリア的可能性として、絶対的に無名の――ほとんど個別的な「顔」すらまだもっていないような――「人間」があるのではないか。それを「人間」と言えるのかどうか、ぼくにはわからない。けれども、きみの開く、まるで「時間の墓地」のような「儀礼＝遊び」の空間のなかを居心地悪く歩き回りながら、ぼくは、そんな「最後の人間」とでも言いたくなるような存在《もの》の地平が開かれたように感じたりもするのだ。

「最後の人間」と言っても、ここでは「時間」が線的に決定されているわけではないのだから、かならずしも黙示録的な意味でそう言うのではない。ましてや、社会的な意味を担わせているわけでもない。うまく言えないのだが、クリスチャン、ぼくには、それは、ぼくらがみな、それであった、そしていまでもそれであるあのインファンスという存在《もの》ではないか、と考えるのだ。まだ「時間」を構成的に引き受けていない、「時間」を前にしてはてしなく混乱し、とまどい、居心地の悪さを感じているあのインファンス。いや、われわれがそれであったあのインファンスを思い出す、というのではない。まだ、記憶が線的な秩序で構成されていないその瀬戸際の居心地の悪さなのだから、それをそのままはっきりと思い出すというのではないのだ。そうではなくて、この居心地の悪さは、こんなにも無関係であるにもかかわらず、ここにはあらゆる関係の構築以前のなにかが、執拗に残り続けているということ。そして、残り続けているものは、――こんな風に言うことが可能だとしてだが――「最初のわたし」かつ「最後のわたし」であるような存在《もの》であるように感じられてくるということなのだ。

心臓の鼓動が響く。風鈴がちりんと鳴る。ささやきが聞えてくる。眼差しが注がれる。誰の鼓動なのか。誰のささやきなのか。誰の眼差しなのか。もちろん、〈わたし〉のものではない。でも、〈わたし〉のものではないと言い切るその手前に、あるいは、わずかな向こうに、〈わたし〉がそこから構成されてきたのかもしれない〈わたしではないもの〉の〈空洞〉がぽっかりあいているのかもしれない。〈空洞〉は、執拗に残り続けるものたちで充満している。そのからっぽの充満と、われわれもまた、どこまでも不器用に、遊び続けるしかないのではないだろうか、ねえ、クリスチャン？

【山口小夜子を思う】

なつかしき小夜、咲きこぼれる赤

なにを見ていたのだろうか、あの眼は？　なにを言おうとしていたのか、あの口は？　何かを見ているのではない、なにかを語ろうとしているのではない。にもかかわらず、眼差しがこぼれた、口元がかすかにゆらめいた。そして夜のように、小さな夜のように、「赤」が咲くのだった。

「赤」の奥には、夜がある。闇がある。あの眼差しは、その夜を見ていたのか。あの口は、その闇の迸りを抑えていたのだったか。夜のなつかしさ。すっかり忘れていた闇のほんとうの近さ。ああ、わたしが肉体をもっているということの不思議。わたしはわたしの肉体を、こんなふうに内側から感じていいのか。「赤」――それはわたしの肉体という花。

山口小夜子はわたしたちに、わたしたちの夜を与え返してくれた。他なるものの遠い光に憧れ、それを追い求める時代にあって、——まるで〈稲妻〉が夜空を切り裂くように——彼女は、わたしたちの肉体がそのまま夜であり、そのまま生命《いのち》赤々と花であることを、断固、証したのではなかったか。

もう十数年前になるか、一度だけ、小夜子さんを招いて、ふたりで「色」をめぐってトークをしたことがある。[1]アジアやアフリカを旅しながら、「まじり気のない純粋な赤、純粋な黒、純粋な青」を求めるという話だったはず。わたしもまた赤い薔薇一輪をテーブルに置いてお迎えしたのだったが、そのとき小夜子さんが言った一言、いまでも忘れられない——

わたしはずっと〈山口小夜子〉というのを演《や》っているんです。

そのときか、わたしが〈山口小夜子〉のなかに広がる限りない夜を直覚したのは。その夜を見ていたのか、あの眼差しは、と納得しながら、その夜のあまりにも「まじり気のない」純粋さに打ちのめされたのだった。そう、その夜とは、誰のものでもない。それはまた、わたしのものでもあるのだ。わたしもまたそこから生み出されたのだから。

その夜が、今回、またよみがえった。森村泰昌さんが〈山口小夜子〉を演《や》った。すると、そこにもまた、「まじり気のない」、わたしたちの誰のものでもあり、誰のものでもない夜が香しく匂い立ちのぼる。〈山口小夜子〉、それは、わたしたち誰もが、肉体の奥に潜めている生命《いのち》の夜。完璧に厳密な方法を通じて、泰昌さんが、その限りない夜にふたたびあの眼差し、あの声なき声を与え返す。うるわしく、なつかしき小夜、咲きこぼれる「赤」の生命《いのち》に、声を失って、わたしも立ちつくす。

【森村泰昌へ応答する】

ギ・装置Mの降誕祭《フォリーナイト》——森村泰昌のために

1

われわれの誰もがその記憶を持っているわけではないが、しかしひょっとしたら、われわれの魂は、どこか遠くからやって来て、肉体というこの地上の物質のなかに降下したのかもしれない。不思議なことに、世界のどの地方の神話でも、われわれの意識を、まるで植物の生長のように肉体から自然に発生したと捉えるものはなくて、かならず天から、空から、すでに完全な魂が降りてきて肉体のなかに受肉されたというように語っている。地上への、物質への降下が、そこでの原型的な構造なのである。

ところが、どのような仕組みによってなのか、われわれが地上に生まれたときには、すでにこの出生以前の原型的な降下の記憶はすっかり消されてしまっており、それとともに、それ以前のすべての記憶もなくなってしまう。われわれのこの地上における生の最初の条件は、忘却なのだ。地上のなにかを記憶する以前に、すでに原初的な、そして絶対的な忘却がわれわれに課せられているのであり、われわれはそれを言わば生の境界条件としてこの地上で生きていくのである。

だが、これもまた不思議なことだが、この絶対的な忘却は、しかしまたそれとして語られるものでもある。つまり、すでにさまざまな神話という形でわれわれの文化はつねにそれについて語ってきているのだ。忘却そのものが、しかし記憶されていると言うべきか、あるいは、忘却ゆえに、それに対する想像力の仕事が展開されると言うべきか——いずれにせよ、神話もそして芸術も、人間にとってのこの普遍的な境界条件である原初的な忘却のまわりを巡り、それに働きかけることをやめない。

たとえば、われわれは神話の語り部やアーティストたちを、この原初的な忘却の機能にほんのわずかな不全があって、みずからの地上の意識の余白に、それ以前の世界のなにかをかすかに残存させているような人々として考えることもできる。なにかが——とはいえ、それは地上的なものではないのだから、われわれの言葉ではうまく表現できないようなものなのだが——

残り続けており、そのイマージュが、ちょうど地上の記憶をわれわれが思い出すように、タブローやオブジェやテクストとして投射され、表現され、実現されるのだと考えてみることもできるだろう。実際、マーク・ロスコのような画家においては、色彩が単なる地上のなにかの色彩ではなく、つまりそのような地上的な記憶の再現ではなく、物質的な色彩ですらなく、なにか天上的とも誕生以前とも思えるようなもうひとつの世界の遠い記憶のようなものであることは誰にも理解できることだろう。

そしてそういう一群の人々のなかに——とわれわれは想像するのだが——魂が地上へと降下してきたその降誕のかすかな記憶を、意識のどこかの層に刻み残しているひとがいるかもしれない。肉体へと、形象へと落下し、降下していくその運動感覚、そしてそこに着地し、そのなかへ入って行くその感覚、おそらくはある種の反転したノスタルジーとも言うべき官能の感覚、ぞくぞくするような失墜の感覚、きわどい裏切りの感覚、そう、確かに「堕天使」の感覚——そういうかすかな感覚記憶が残り続けているひとがいるかもしれない。

すると、そういうひとは、いつかある日、まるでその残り続けている降下の記憶を思い出すかのように、他の肉体、他の形象のなかへの降誕を反復しはじめるかもしれない。そうして、みずからをそのような反復のひとつの装置と化すかもしれない。

われわれは、——すでに神話的な——この擬・物語から出発してそのようなひとつの装置を記述してみたいのだ。

2

それを、われわれは「ギ・装置M」と名付けた。

しかし、それとは別に、この装置にひとつのタイトルを与えるとするならば、それは、次のようなものである。

（1）魂の降下と

（2）照明用の眼差し

が与えられたとせよ[1]

そうすると、そこに——つまり、あまりにも見慣れた風景を閉じ込めた箱、額、枠のなかに、さらにあまりにも見慣れた肉体のなかに——、しかしあくまでも外へとポーズし、つまり露呈されて、ひとつの魂が横たわっているのである。

魂は横たわっている。われわれが見るその光景のなかで、その肉体がどのようなポジションを取っていようが、われわれにはそのときいつも変わることなく、Mの――と言うことすら危ういような一個の――魂が横たわっていると感じられる。たとえば、死の床に横たわっている肉体を通してはじめて、そこに一個の魂が横たわっていることが感じられるように。そのことをはっきりと感覚するもっとも手早い操作は、すべての写真からその場面の要素を消し去ってしまって、ただ顔だけに注目することだ。ヴィデオがわれわれに教えてくれた方法に従って、顔の部分だけをズーム・アップして、それを連続的に見ていく方向に想像力を働かせればいいのだ。そうすると、はじめは、それぞれの場面の記憶から解放されて、われわれの眼はMという一人の生身の人間の同一性を認めるだろう。だが、次第にわれわれの眼差しは、そうした一個の身体的特徴を超えて、なにかもっと違ったもの、つまり肉体には還元できないものがそこで、かろうじて顕れはじめている、あるいは逆に、かろうじて引きこもっていこうとしているという印象を持つ。ただMがそこにいるというのではなくて、なにかが、変わることのない何かが、そこに、その身体表象とほんのわずか――アンフラマンス！――に異なったところにあると感じるのである。

そこでは、顔はもはや単に同一性の場所ではない。そうではなくて、なにか物質や形象の秩序とはわずかに異なったものが感じとれる場所、その意味では、もはや肉体に属していないような場所としてあるのだ。あるいは、別の言い方をすれば、肉体に属していないものが、いまかろうじて肉体のなかに降り来たり、そこに横たわった――そのような場所としてなのである。

だが、いったいなぜ降りて来るのか。なぜそこに横たわっているのか。この問いとともに、おそらくわれわれはMという魂＝装置のもっとも困難な謎に差しかかる。

だが、忘れてはならないのは、そのとき魂が降りてくるのは、けっしてどんな肉体のなかでもいいというわけではない。そうではなくて、それはなによりも人々の眼差し、しかも記憶の眼差しが注がれ続ける場所でなくてはならないということだ。つまり、徹底して、いかなる余白をも焼き尽くすような激しい眼差しへと曝されるような場所にこそ、それは降りて来るのだ。あたかも夜が昼を激しく希求するように、闇が光を強く欲望するように、それは眼差しを求める。浴びるように眼差しに曝されて、そこに、人間の眼差しの歴史のなかに、横たわることに憧れるのだ。

魂というものは憧れるものだ。そして、多くの場合はそれは、飛翔するように上昇することに憧れるものだ。しかし、不思議なことに、ここでは魂は、肉体のなかへと下降し、そこで眼差しに曝されることに憧れているように思える。とすれば、――これはかなり戦慄的な命題だが——この魂は盲目なのではないか。魂にとって盲目であることがどのようなことなのか分からずに言うのだが、それは激しく眼差しを求めるほどに盲目なのではないか。

すでに述べたように、美術史上の傑作あるいは映画スターたちの場所へと降誕したMの顔を連続的に見ていると、突然に、ぱっちりと見開かれたその眼が実は何も見ていないのではないか、いや、何も見えていないのではないか、と思われはじめる瞬間がある。冷やかに開かれたこの眼は何も見ていない。そうではなくて、それは、ただひたすら見られるためにのみある眼、注がれる眼差しの感触を味わうためにのみある眼ではないか。

生まれてくる赤子の眼は何も見ていない。しかし、赤子が生まれてくるのは、なによりも人間たちの注視する眼差しのなかへなのだ。つまりまずは、その生誕へと注がれた眼差しがあり、そしてその眼差しのなかへ曝されるように盲目の魂が降りてくると、まるでその外からの眼差しの力によって引き出されるかのように眼が、見ることがかろうじて生まれかかる。外からの眼差しの照明のなかで、盲目の魂がいまようやく見ることへと開かれはじめようとする、と思えるのだ。

もしヴィジュアル・アートというものが、本質的には、世界を見る新しい眼差しを発明することであるとするならば、そのとき、われわれがここで考えているようなMという装置の欲望は随分と奇妙なものということになるだろう。それは、新しい眼差しを創造することに向かうのではなく、みずから見られるものになることによって、言い換えれば、みずから眼差しを受け止めるものへと降りていくことによって、見るというこの地上の力が生まれかかるところにまで行こうとするのである。

その意味では、それは、いわゆる芸術的な視覚性の手前にあるものだ。というより、ヴィジュアル・アートというものを成り立たせている人間の根源的な「見ること」の力そのものの手前にある魂の夜を照射するものだ。人間の見ることの歴史——美術史あるいは映画史——のただなかにあって、そうした歴史化された眼差しのなかに寄生しながら、しかし同時に、Mは単なる引用でもなく、単なる模倣でもない、およそ一切の見る欲望の手前にあるような魂の夜のような盲目をわれわれに引き渡すのである。それこそがMの反転的なアートの根源的な力なのだと思われる。

3

そのことをもう少し具体的に見てみる。たとえばMM（マリリン・モンロー）へと降誕したMについて。われわれはそれをとりあえず次のような定式で要約しておく。

M → MM：M ＝ MM(m)

小文字のmは、MMというフィギュールのなかに代入された森村泰昌個人と考えてくれればいい。

こうしてMという装置は、まずなによりも代入の装置である。その意味では、われわれはここでは、――確かにそれもまた森村泰昌の重要な仕事の一部なのだが――似ているようでいてそれとは正反対のいわゆる「着せかえ」という操作には興味を示さないでおく。そして、その限りでは、われわれにとっての重要性は、mがどのような衣裳を纏うか、つまりどのような多様な現れを身につけるかにあるのではなく、あくまでもそこで、MMがMM(x)という構造を持っていることが決定的に暴かれることにある。

すなわち、とても奇妙なことだが、そのMM(x)という構造のなかに、MM自身――という言い方ももう不都合だが――、たとえばその本名であるノーマ・ジーンという平凡な個人を代入してみることもできるのだ。ノーマ・ジーンがマリリン・モンローになったということはそういうことだ。強い光を浴び、激しい欲望の眼差しが注がれるその場所、その形象への代入。

MM＝MM(n)＝MM(m)＝……おそらく、MMとは、ということは一般的に、われわれの眼差しの記憶のなかでひときわ強い光を発して残り続けているさまざまな発光体は、そのような構造を持っているのだ。逆に言えば、もしそのような代入を可能にし、誘発する構造――ある種のギ（欺、擬、偽、技、義、儀、犠、戯……）の構造――を備えていないのならば、それは、けっしてわれわれの眼差しの記憶のなかで特権的な位置を占めることはなかったに違いないのだ。

たとえば、MがMMへと降誕するとき、それはかならずしもmがマリリン・モンローという人格、あるいはノーマ・ジーンという個人を、演劇的な意味で演じるというのではないし、また、単純に化けるというのでもない。どのような動詞が適切なのかが難しいのだが、そしてそれだからこそわれわれは「降誕」と言うのだが、しかし重要なことは、そこでわれわれの記憶のなかで輝き続けているひとつのクリシェ、その形象に向かって限りなく――そしてこの徹底こそが森村泰昌の仕事のもっとも重要な鍵なのだが――似ていくということなのだ。そして、この似ていくという作業を通じて、装置Mは歴史のなかの神話的なトポスへと降りていく。降りていきながら、そのトポスが、一方では、同じようにギの操作によって生み出されたものであることを確証し、そのことによって神話破壊を行うと同時に、しかしまたそれを増幅することによって、その神話をいっそう強固なものにするのである。

だから、Mを前にしたときのわれわれの感覚はつねに引き裂かれているのだ。神話破壊と神話強化とが同時に起こっているがゆえに、われわれはまったく正反対の二つの感情のあいだに挟まれて態度決定が不可能になる。真正‐神聖さへのノスタルジーと、悪趣味のパロディーだと言いかかる反発とのあいだで緊張が高まり、しかしその緊張がその極点において引き裂かれるように破れると、——場合によっては——そこにもはやmにもMMにも還元できない途方もない夜の強度が一瞬感取されることになるのだ。

そして、そこにある種の儀礼的な空間が開かれる。Mという装置はなによりも儀礼の装置である。いつからか、われわれは芸術というものを、儀礼的なものから限りなく切り離して考えるようになってきてしまった。しかし、おそらくわれわれは、まさに森村泰昌の仕事に学びながら、近代芸術も実は儀礼的な空間の創出以外のなにものでもなかったのではないか、と問うてみることができる。すなわち、現実の自然な表象あるいは作家の感情の自然な表出というもっとも素朴な作品観が代表しているような連続的な表象空間ではなく、まさにそこで遠い記憶が擬され、そうしてその記憶のなかでひとが欺かれ、そして場合によってはそこで生贄が供犠される、そのような技と戯の空間の創出。

実際――ここまで来てはじめて気がつくのだが――Mを見ているときに感じる絶望的な美しさの感覚は、おそらく犠牲に捧げられたものにわれわれが感じる途方ない、底なしの感覚からけっして遠いわけではないのだ。そこでは、一個の身体が供犠されている。〈美〉へ、と森村自身なら言うだろうが、われわれならば、これほどにも光を欲望するわれわれの魂の夜へ、と言いたいところだ。〈美〉であれ、〈夜〉であれ、いずれにせよ、Mはそこで眼差しのひとつの場面のために、その記憶の光のために、一個の身体を犠牲にし、その身体を言わばなにか途方もないものの義体（プロテーズつまり義肢、義足、義眼の類）とするのである。

儀礼の空間のなかで、犠牲となった身体はそのまま義体となる。そこにありながら、しかしもはやそのものに属しているわけではなくなった身体。身体でありながら、そのままオブジェになった身体。身体の形をとどめていながら、しかしもはや個人的な意識や知覚が宿っているわけではない身体。しかし、まさにそれだからこそどこからか、もはや誰のものとも言えない、魂の夜がひっそりとそこに影を落としているような身体。

そのあまりにも強烈の光のもとで、その身体はもはやmにも誰にも属してはいない。その意味では、それはもはや〈セルフ・ポートレート〉などですらない。もし属するというのなら、それはあくまでも誰でもないものにしか属していない。しかし、その〈誰でもないもの〉はあくまでも見ることを欲望するのだ。われわれが激しく見ることを欲望し、あるいはみずからに注がれる激しい眼差しを欲望するとき、そのみずからの夜の闇のなかで、われわれは〈誰でもないもの〉とひそかに一致する。もしそれがなければ、美術史も映画史もなかっただろうような魂の夜と一致するのである。そして、それこそがMという装置の究極の力なのだ。

4

かつて、わたしが講義をしていた大学の古い講堂に突然、MMが降誕したことがあった。純白のドレスに身を包んだMが、MMが、なまめかしく腰を揺すりながら現れて、ノートを広げた学生たちの机の上にすくと立った。すると、地下鉄の通気孔なのか、それともそれに似せた器具なのか、下から一陣の風が吹き上げ、それが白いプリーツのスカートを思いっきりまくりあげると、MMはスカートを上から押さえながら膝を曲げそしてその身体を静かにわれわれの記憶の身体のなかにはめ込みつつ、外へと、限りない外へとみずからを曝してポーズしたのである。(2)

呆然として顔をわずかに赤らめたままうつむきかかる入学したての学生たちのあいだを、そのときそうして風が吹き抜けて行った。〈ビ〉の、そして〈ギ〉の風が吹き抜けて行った。そして、大学の日常の空間が突然に、もはやどこにもない空間、いや、われわれの記憶のなかに定着しているだけで、ひょっとしたら一度も存在しなかったかもしれない空間、光と夜がただその強度をそり合わせているだけの空間へと接合したのである。そして、そのとき夜が降りてきた。ドレスの白が純白であればあるほど、その髪がブロンドであればあるほど、より深い夜の闇が降りてきた。女優降誕——それは人間の手前にあり、人間の彼方にある底なしの夜が降りてくることなのだとそのときわたしは理解したのである。

【ミケル・バルセロの絵に涙する】

生命を荘厳する〈最初の画家〉

ついにミケルの大規模な個展が、わが国で、開かれる！　やっとかれの仕事の全貌が日本の人々の前に立ち現れる！　どんなにこの日を待っていたことだろう。ひとりの友人として、そして小冊とはいえ、ミケル・バルセロという画家を紹介するための一冊の書物（『ミケル・バルセロの世界』[1]）を書いた者として、これほど嬉しいことはない。とうとうミケル（と本稿では呼ばせてもらう）の「大地－海」TERRAMARE（これは二〇一〇年アヴィニョンの展覧会のタイトルだった）が日本に上陸するのだ。とすれば、ここでは、わたしは自分に〈友情の水先案内人〉の役を割り当てるしかない。そして、それが同時に、はじめてかれの世界に入っていこうとする人々へのささやかな〈案内〉ともなるようにと願うばかりである。

そうではないか！　なにしろ、この展覧会には、わたし自身のポートレートが展示されているのだから。〈水先案内人〉はちゃんと舳先に立っているのだ。

黒の画面をジャベル水でブリーチ（漂白）して「描く」このポートレートのシリーズは、今回は十枚あまりが展示されていて、そのうちの一枚がわたしを描いたものだが、これは二〇一二年の作品で、じつはミケルがわたしを描いたものは三点ある。

最初は、その前年二〇一一年春、東日本大震災の直後にパリに辿り着いたわたしを描いたもので、人生ではじめて経験した途方もない災厄に打ちのめされてほとんど茫然自失している〈刻《とき》〉のわたしのポートレートだった。しかし、なにしろブリーチという「現像」プロセスには時間がかかるので、ポーズをしたときにはいったい自分の顔がどのように描かれているのか、まるでわからないままで、二年後のウィーンで行われた展覧会ではじめてそれを見たのだったが、右頬に手をついて、深く哀しげに考えこんでいるような自分のポートレートを見ながら、その春の思いのすべてが甦ってきて、思わず瞼が濡れるのを感じないわけにはいかなかった。このことを振り返りつつ、わたしは拙著のなかで「ここに〈いる〉のは誰か。それは、わたしではなく、わたしの〈幽霊〉である。〈幽霊〉ではあるが、『闇の中で拍動をやめない』心をもった〈幽霊〉。そう、われわれは、そもそもそのように存在しているのではないか[2]」と書いた。

〈幽霊〉という言葉はいささか異様かもしれない。しかし、この言葉に辿り着くことで、わたしは、ミケルの絵画の世界を自分なりに受けとめようとしたエクリチュール（書く実践）にとりあえずの〈結〉をおくことができたように思う。つまり、ここでは〈幽霊〉とは、なによりも、暗黒の闇のなかから、不意に、——ということは時空連続的ではない仕方で——形をもって出現してくる〈生命〉という存在のことを言わんとしているからだ。

二〇一一年春のその日、ミケルのパリのアトリエで黒く下塗りされたカンヴァスが置かれた画架の（正面ではなく！）横の椅子に座ってポーズをしていた〈刻《とき》〉、われわれはけっして悲しい話をしていたわけではなく、むしろ楽しくお喋りしていただけである。わたしの顔が悲しい表情を浮かべていたはずはない。もちろん、ミケルは、わたしの顔を見て「描く」のではあるが、しかしそれを見えるがまま再現しようとするのではない。かといって、——近代的な「アート」の手法のように——対象をさまざまな要素に分割し、あるいは変形し、自分なりの意匠に従って組み立て直すのでもない。現象している顔をそのまま表象する（représenter）のでも、それを再構成（recomposer）するのでもない。そうではなくて、かれは、形あるいは像が現れるようにする。その意味では、ブリーチとは、まさに「現‐像」なのである。すなわち、形あるいは像がやって来るようにする。いや、もっと正確に言うなら、それ、その〈存在〉が、形として、像として到来するようにするのである。

では、どのようにして像は到来するのか？

そう問うて、われわれは答えに驚くことになるのだが、まず第一に「(物質に) まかせる」ことによって。そして第二に「待つ」ことによってである。つまり、画家は「なにもしない」。もちろん、すべては周到に準備されるのだし、ミケルは、わたしの顔を見ながら筆を——あるときは繊細に、あるときは大胆に激しく——動かすのだが、しかしそれは、現にそこに現象しているわたしの顔をなぞって描くというよりは、その顔の奥から、時間とともに——ジャベル水がカンヴァスに塗られた黒の絵の具を脱色し侵蝕していく時間とともに——トンネルのようなその闇の時間の奥から、もうひとつの「顔」、もうひとつの「像」が、まるで〈幽霊〉のようにやって来る場を開こうとするのだ。

来るだろうか？ (arrive-t-il ?)[3] ——だが、来るのだ。なにかは来る。完全－不完全、美－非美、意味－無意味、価値－無価値、いや、さらには存在－無までを含んで、人間の「文化」なるものが設定するあらゆる種類の (小賢しい) 判断規範を超えて、なにかがやって来る。世界とは存在するものの集合なのではなく、「やって来るもの」で満ちている。そして「やって来るもの」こそ〈生命〉にほかならない。〈生命〉は形として、像として「やって来る」のだ。

（わたしもそうなのだが）西欧哲学に親しんだ人ならば、この「やって来るもの」を、たとえば「本質」という言葉で言ってみたくなるかもしれない。だが、ちがう。それはその言葉が含意しているような時間を超えたものなのではない。それは、いま、この〈刻〉を超えてはいるが、しかしまさにたえず「やって来るもの」、しかもその度ごとに形を変えて「やって来るもの」としての〈生命〉の時間なのである。だからこそ、わたしはそれを〈幽霊〉と言ってみた。たとえ「本質」だとしても、あくまでも「(本質的に)幽霊的な本質」というわけである。

実際、二〇一一年春、ミケルのカンヴァスという「印画紙」に「現‐像」した像は、たしかにわたしの像だが、そのようなものとしては現実の時間に一度も現象したことのない像なのだった。奇妙な言い方だが、わたしは、その「わたし」、わたし自身が知らない「わたし」を愛した。ウィーンのクンスト・フォーラムに展示されたポートレートの前で、わたしはひとり長いあいだ、その「わたし」を見つめていた。誤解がないように言っておくが、これはナルシシズムではない。いや、強いて言えば、むしろそれこそが、「自己愛」などという閉じた回路からははるかに遠い、本来の意味でのナルシシズムなのかもしれないのだが、ある種の「驚異」がもたらす魅惑――「わたしはこれなのか！」なのであった。そして、そのときわたしの精神を横切る思考があって、わたしはおののくような思いに駆られたのだが、それは、なんと、これこそがじつは（「本質的な意味で」と言ってもいいのだが）「見る」ことなのではないか、というものだった。

「見る」ことがどういうことか、誰でもよく知っている。と、われわれは思っている。だが、そうなのか？　いま振り返るなら、この十数年にわたる、けっして濃密ではないが、パリのアトリエで、マジョルカ島のお宅や陶器のアトリエで、あるいは京都の二条城で、または東京の青山の居酒屋で、まるで時間を縫いとめるように続いてきたミケルとのささやかな交流を通して、わたしが得たもっとも激しい学びとは、わたしはいまだに「見る」ことがなにかわかっていない、ということだったと思う。

われわれは見る。そこにあるものを、イメージを、見る。そして一瞬のうちに何であるか同定する。トマトだ、トマトがある。それで終り。眼差しの役目は果された。もちろん、それでいい。だが、そこには、「驚異」はない。世界はその秘密を開示してはいない。トマトは「やって来ない」。トマトを通してなにも「やって来ない」。

だが、もしわたしがそれを「やって来る像」として見ることができたら、すべてはひっくり返るのではないか。はじめにものがあって、その二次的な「像」を見るのではなく、わたしの「見ること」を通して、そこに「像」が、絶えず「やって来続けるもの」としての「像」が到来するとしたら……

　ここでトマトを持ち出しているのは、わたしにとっては、ミケルのパリのアトリエでたまたま壁にかかっていた一枚のタブロー、半開のトマトがいくつか描かれただけのタブローを見て、思わず目尻に涙がにじんだことがあったからだ。同じようなことは、かれが原色鮮やかな衣裳を纏ったアフリカの女性をほとんど数タッチで描いた水彩画を見ているときにも起こった。それらの「像」は、もし写真がもたらす情報の精度と比べたらとても「似ていない」荒々しいものかもしれない。だが、それは、現実の物体の「写し」なのではなく、それが動いて、こちらに絶えずやって来つつあるのだ。いや、なにひとつ動いていない「像」であるにもかかわらず、そこに「やって来るもの」がある。しかも、それはついにやって来終わることはない。それを「見る」、ほんとうの意味で「見る」眼差しがあるのならば。そう、「見る」とは、絶えずやって来つつある、しかしけっして到着してしまうことのない「像」をじっと待ち、迎え容れることだからだ。

　ミケルといっしょにいて、ときおり、かれが「見はじめる」のを感じることがある。その対象物は、自分自身のタブローだったり、ほかの人のタブローだったり、あるいはそこにある一個のトマトでも、かれがアトリエのあちこちに置いている動物の剥製や骨格標本、なんでもありうるのだが、突然に、それまでの陽気な会話とはちがった「静けさ」が拡がる。静かな集中、だが、計算し判断する集中ではなく、「やって来る」ものを受けとめ、迎え容れ、見届ける集中、あえて言うならば、ほとんど「祈り」につながるような集中である。

そのようなとき、そこに、すぐ横に、ひとりの「画家」がいることをわたしは感じる。いや、ミケル・バルセロという名のマジョルカ出身の画家がいるというのではない。そのような社会的アイデンティティを超えて、あるいはそのはるか手前で、人類の古代から、その闇のような時間のトンネルの奥から、変わることのないひとりの「画家」が「やって来る」、「やって来続ける」と感じるのだ。

その「画家」——それは、まちがっても「アーティスト」などというものではない。そんなモダーンなレッテルで分類できるものではない。それは、「芸術」Art というプラットフォームが、——つい最近のことだ！——人間の文化のなかに定着するはるか以前のものだ。かれは、——いつなのか、わたしは知らないが——ほとんど「人間」の誕生の直後の時代から綿々と今に至るまで「やって来続けて」いるひとりの無名の「画家」なのだ。

だが、忘れてはいけない。「人間」がどこから生まれたのか、と言えば、それは「動物」からでしかない。つまり、この古代から「やって来続けて」いる無名の「画家」は、ほとんど

「動物直後」に生まれたと言っていい。それは、自分たちが「動物」から生まれたことをけっして忘れない、それどころか、その「動物」たちにかれらの「像」を与え返そうとし、そうすることでかれらの存在を祝いあげようとする。そう、ラスコー・ショヴェ・アルタミラ、あの洞窟の「画家」なのだ。(4)

実際、これもあえて口を滑らせて言うのだが、ミケルと食事をともにしたり、アトリエを案内してもらったり、いっしょの時間をすごしているときに、これも突然、そこに「大きな動物」がいると感覚することがあった。誤解のないように慌てて付け加えておけば、ミケルほど知的な教養に富んでいる「アーティスト」はいない。話しをしていると、なにかの拍子にリルケの詩がすらすらと出てくる、共通の知人でもある哲学者のジャン゠リュック・ナンシー(かれのブリーチ・ポートレートも今回、展示されている)の本も読んでいる、写真家のエルヴェ・ギベール、小説家のミシェル・ビュトールやポール・ボウルズとの共同作品だってある。それだけではない、日本の小説や文化論にも眼を通している。驚くことばかりである。しかもアトリエには、長年かれが日々書きとめた膨大なノート群がていねいに保存されている。間違いなくかれはこの時代の最高度の知的教養を身につけているのだ。にもかかわらず、ふとした瞬間に、ここにいるのは、「大きな動物」ではないか、と感じるときがある。

そんなときわたしはようやく理解する、「動物」というものがどれほどやさしくて、かつどれほど獰猛であるか、を。獰猛ではあるが、けっして――人間がそうであるように――残酷ではないということを。そして、ひょっとしたら人間が失ってしまったこの優雅なやさしさは、生と死が連続していることが本能的にわかっているやさしさなのではないか、ということを。

そうだ、ラスコー・ショヴェ・アルタミラ、あの「洞窟の画家」、「最初の画家」は、――手型を残したとしても――自分たち「人間」の「像」を描いたりはしなかった。洞窟の奥まった暗闇のなかで、かれは、なによりも「やって来る」「動物」たちの「像」を描いたのだった。トーテミズム・シャーマニズム・アニミズム……どのようにそれを呼ぶにせよ、「画家」とは、まずなによりも、暗いトンネルの奥の壁に、圧倒的なまでに強力な、獰猛にしてやさしい、聖なる「生命」、「人間」以前の「動物的生命」が「像」として「やって来続ける」ように仕掛ける人であったのだ。

そして、そのように、ミケル・バルセロもまた「最初の画家」なのだ。

もちろん、かれは現代に生きる画家であり、アーティストである。かれは、われわれのこの「歴史」を引き受け、それを生きようとしている。そして、そのために「歴史」を学び、研究することを怠ることはない。わたしの知るかぎり、かれほど「絵画の歴史」を研究している画家はいない。さらに、かれほど、他の画家・アーティストの作品を愛しているアーティストはいない。たしかパリのアトリエの階上の寝室のベッドの傍には、ティントレットの小さな絵がかかっていたはずだ。あるいは、オフィスの横の小さな珈琲ルームには、なんと荒木経惟の大きな写真作品がかかっていた。かれの精神は、そのように思いっきり広く同時代に、歴史に開かれている。

だが、同時に、かれはその「歴史」のすべてを引き受けつつ、その滔々たる時間の流れの「最初」、なにひとつはっきりとは見えない「洞窟」の暗闇のなかにひそんでいるその「最初の光景」に、われわれを連れ戻すのだ。

ラスコー・ショヴェ・アルタミラ、いや、そうではない。人類の「絵画」の「歴史」そのものが、無限に続くひとつの「洞窟」だ。そして、「最初の画家」は、そのいちばん奥、迫り来る岩の壁に押しつぶされそうになりながら、その大地の「胎」の壁に、「生命」が「像」として「やって来る」ように、手を動かして、いや、自分の身体のすべてを動かして物質と格闘するのだ。

そのように、ミケルは、われわれを、「絵画」という「洞窟」のもっとも最初の、もっとも奥へと連れ戻す。獰猛に、やさしく、連れ戻す。

だが、その「連れ戻し」について行くのは容易なことではない。すでに述べてきているように、そのためには、われわれの「見ること」そのものを問い直さなければならない。とりわけ、ルネッサンス以降の「絵画の歴史」がもたらした「表象」という空間から、少なくとも一度は、脱出しなければならない。すなわち——乱暴な言い方にならざるをえないが——無色透明な計算可能な三次元連続体という空間認識を、一度は、見直さなければならない。それは、西欧ルネッサンスの偉大な発明であった。いわゆる絵画も、写真も、テレビも、スクリーンも、今日のVRまでも、すべてその原理の上に成り立っている。それは、ますます精密になり、ますます包括的になっていく。だが、それは、あくまでも計算によって「時間」から独立させられ、「生命」から切り離された抽象的な「空間」にすぎない。

ところが、「生命」にとって、「時間」と「空間」は不可分である。それは「時空」としてあり、しかもつねにダイナミックに渦巻いている。だから、それぞれの「生命」にとって、「時空」は、ほとんど「物質」のように、渦巻いている。「色」として渦巻いているのだ（これは完全に蛇足だが、それこそ「空即是色」なのだと言ってみたくなる）。

この事態を原型的に示している作品を、今回の展示からひとつ選び出すとすれば、わたしにとっては、闘牛場を舞台にした作品《とどめの一突き》（一九九〇年）になる。この作品が日本に来ることをわたしは喜ぶ。というのも、わたしがミケル・バルセロという名を知ったのは、いまから四半世紀も前、この作品そのものが展示されていたかどうかはたしかではないが、南仏のマーグ・ファウンデーションの美術館でこれを含む闘牛場のシリーズに出会ったときだったからだ。

言うまでもないが、これは、闘牛場の上空から俯瞰して得られた像を絵画的に変形したものなどではない。ここで画家が見ている、見ようとしているのは、マタドールの一撃によって、いま、一頭の牛が絶命するその「時間－空間」である。それは、途方もなく巨大な渦巻きとして立ち上がってくる。もちろん、それは観客たちの歓声がつくり出す波動でもあるだろう。だが、それ以上に、それは、「生命」の崇高な劇の「現場」に立ち会った「画家」が見届ける、「死」を超えて動いてやまない「生命」そのものの「像」でもあるのだ。

いったいどれほどの画家が、これまで闘牛士を描いてきたことだろう。だが、ここでは画家は、牛も闘牛士も、「とどめの一突き」のドラマティックな場面も、まるで描こうとはしていない。だからといって、闘牛場の観客たちを描こうともしていない。いや、かれが見ようとしているのは、ただひとつ、「生命」のドラマ、「生命」が渦巻く「時空」のドラマである。そして、そのとき、その「生命」とは、画家と切り離された「対象」なのではなく、かれ自身もまたそれである「生命」である。

「生命」として、かれもまた、いま、とどめを刺されて息絶えようとしている牛であり、とどめを刺して観客の喝采を浴びるマタドールであり、そして、その「生命」の残酷でもあるドラマに熱狂して陶酔する観客たちでもある。圧倒的な仕方で祀られるその「生命」の渦巻きをこそ、画家は、ここに「やって来続ける像」として呼び出し、そうすることで「生命」を荘厳する。それこそ、ミケル・バルセロという「最初の画家」にとっての「絵画」のマニフェストであったのだ。そこではまさに「絵画」という「洞窟」がぽっかりと穴を、大きな口を、あけているではないか。

そっと小さな声で告白しておくなら、わたしはそこにミケルの世界のひとつの「秘密」を見いだす。すなわち、「生命」は、口・穴・トンネル・空洞・洞窟として存在するということ。そして、そうした「管」を通って、「生命」はつねにほかの「生命」につながっているということ。動物は、——われわれもまた！——口から肛門へとつながる一本のトンネルとして、この物質の世界に生きている。「洞窟」は、ラスコーやショヴェにだけあるのではない。われわれもまた一個の、そして多様に枝分かれした「洞窟」なのだ。それを通じて、われわれは、また他のあらゆる異なった形をもつ「生命」へと通じている。そう、「絵画」とは、「生命」の

「像」を呼び出すことを通じてこの獰猛にしてやさしい「生命」という「神秘」にささやかな祝祭を捧げることなのだ。

ミケル・バルセロのTERRAMARE（大地－海）においては、われわれが日々忘れてしまっている始原的な「生命」が波打っている。(5) その脈打つ波動に眼差しを差し出し預けて、われわれは、われわれがそれである「生命」の「神秘」を見るのだ。

【木下晋の仕事の意味を考える】

閉じた眼も見ており、開いた眼もまた盲目に浸されている

わたしが木下晋の仕事を知ったのは、つい最近のことだ。瀬戸内海のある島の明るい晩秋の光のなかでかれの鉛筆の仕事を知った。そして初冬、東京で開かれたかれの個展で小品を一点買った。それを仕事机のわきの壁にかけ、ときおりじっと見る。通りすがりにちらっと見るような見方では木下の絵を見たことにはならない。たぶん真正面から画紙を、いや、そこに描かれた老婆の皺だらけの皮膚を食い破るようにじっと見つめるのでなければ、そうして見つめながら、ただ生という闇のほかは何も見えなくなってしまうようにならなければ、見たことにはならない。

見ることとはなにか。誰もがそんなことは自明だと言うか。眼を開ければ見える。だが、そ

うか。世界を見、物を見るのは、そんなにも簡単か。それでは、生はどうか。誰にとってもこんなにも自明であるはずの生を、ではどうやって見るのか。無茶な問いである。だが、もし美術なるものが、見えるものをただ美しく描くなどという児戯ではなくて、見えない真理を——もはや「描く」とは単純に言えないところで——つかもうとし、少なくともそれと関わることであるとしたらどうなのか。途端にすべては逆転してしまう。つまり画家とは、見えるものを見る人なのではなく、見えないものをこそ見ようとする人であることになる。もちろん、見えないものにはいろいろある。たとえば想像の世界。夢の世界。美術の歴史は長い時間の果てに、とうとう想像力を解き放ち、そこに目眩くような夢の空間をうち立てた。だが、それは、あくまでも画家の内部の世界、内部にあって見えている世界である。そこには、すべてがあるが、しかし真理だけはない。真理は、外の世界にも内の世界にもない。それは、ただ、内と外とのあいだ、その境界、その皮膜にしかない。

木下が描くあの老いた皮膚とはそのようなものだ。そこにしか、人間の生の真理に触れうる場所はないことをかれはわかっているのだ。見えるものと見えないものが絶えず交錯し、生きられた時間が痕跡を残していくその場所に触れること——そのために、かれが選んだのが鉛筆であった。正直に言うが、わたしは「ペンシルワーク」という軽い言い方を好まない。なぜなら木下の仕事は線のそれではないからだ。そうではなくて、鉛筆によって、かれは、絵の具ではとうてい比べものにもならない、もっとも微細な粒子である画材を手に入れたのだとわたしは考えている。そこで問題になっているのは「描く」ことよりは、むしろ「触れる」ことだ。鉛筆の芯先の微細さで、かれは、生の痕跡に触れる。能う限りの優しさをもって触れるのである。なぜなら、かれは知っているからだ。人間の生を包んでいるこの皮膜がどれほど傷つきやすく、どれほど脆弱であるか。ほんの少しの暴力とともに、それが破れれば、そこからとめどなく闇が吹き出してくることを、かれほど知っている人間もそうはいない。

だが、忘れてはいけない。それだけではなく、同時に、かれは知っているのだ。この限りなく脆弱で傷つきやすい人間の生なるものが、それにもかかわらず、——いや、ほとんどそれ故にこそ——なににも侵しがたく強いことを。そして貴いことを。脆弱だからこそ尊厳があり、闇を内包しているからこそ光がある——それこそ、たったひとつの人間の真理というものだ。

この真理は、しかも驚くべきことに、ひとつのはっきりした場所をもっている。言うまでもない、それは眼だ。眼差しだ。眼差しの光だ。見るということは、こんなにも普遍的な、しかし驚くべき真理だ。いや、これ以外に真理などというものはない、と断言してしまいたくなる。われわれの生が、この闇のような生が、しかし眼を持っており、世界を見る、ということこそ、

――パスカルの言葉を引用することもあるまい――人間の尊厳である。だから、当然のことだが、この眼とは、なにもわれわれが日常、単純に自分には世界が見えていると思いこんでいる眼ではない。いや、むしろ盲目であればこそ、人間にとっての本質である「見る」ことがよりいっそうはっきりと見えてくると言わなければならない。なぜなら盲目であっても人間は見るからだ。瞑った眼がいっそう深い生を凝視するからだ。

わたしには木下は、ただひたすら眼だけを描こうとしていると思える。見開いた眼、閉じた眼――だが、こう言ってよければ、そこに違いはない。閉じた眼も見ており、開いた眼もまた盲目に浸されている。眼差しと盲目を超えて、人間の生は見るのであり、それこそが『光』なのである。

木下は、画家であるということは、ただひたすらこの「光」に殉じる存在であると覚悟したのではないか。生なるものが闇であるということが心底わかっていないわたしのような能天気な人間たちには、生という闇に眼が生え、光が生え、そうして「見る」ということが起こることが、どれほど奇跡であるかはなかなか理解しがたい。しかし、それこそが、人間というはかない存在にゆるされた尊厳のたったひとつの根拠にほかならない。そして、木下の仕事は、いつ内部の闇のなかに没していくかもしれない人間たちに、この眼の尊厳を与え返そうとしているようにわたしには思われる。画家とは、人間のこの奇跡的な見ることの可能性にもっとも敏感である存在、そしてみずからの果てしない仕事を通じて、この真理を護り続ける番人でもあるだろう。それ故にこそ、真正の画家の仕事もまた尊いのである。

光と闇が交錯し反転するそんな真理の場所に留まり続けること——それこそが木下晋の絵画がみずからに定めた運命であるとわたしは思っている。

【辻けいに語りかける】

流れ行く身体

世界の各地で彼女がこれまで行ってきた文字通りの「フィールド・ワーク」についての話を、何枚かの写真を見ながら、聞いていると、いつのまにかわたしの思考の原野のいくつかの痕跡を縫うようにして、鮮やかな布が走っていくように思われて、それを追うことに集中していると、ついには辻けいに「わたしの話は全然聞かないで、自分の考えでいっぱいなんだから」と笑われることになる。

いや、そんなことはない。そのときわたしのフィールドで響いていたのは、やっぱりあなたの言葉なのであって、それは、あなたが何度も言う言葉だけど、「外のパフォーマンスに用いる布は、肩幅と胴の幅と二つあるんですけど、でも、かならずわたしの身体の幅なのです」。

そこには、あなたの行為の疑いようもない原点があるとわたしには思われた。

布は、そこではあなたの身体の延長としてある。いや、それ以上に、ほとんどあなたの身体として織られている。それは一枚の布というようなものではない。方向を欠いた面なのではなくて、ちょうど水の流れのように流れていく動き、あるいは搬び。そのような一筋の流れとして、布は身体であり、また同時に、身体は布であるのだ。

実際、どれでもいいのだが、オーストラリアのトップ・エンドやカナダのクウィーンシャーロットにおけるあなたの「フィールド・ワーク」の写真を見るときに、もしわれわれの眼差しが〈ある場所におかれた作品《モノ》〉しかそこに見ないとすれば、なんと怠惰なことだろう。大地の始原性がまだかろうじて保たれているようなこうした禁じられた場所、聖なる場所において、いったい作品などというモノが何の意味を持つだろう。布というモノがそこに置かれているのではない。そうではなくて、大地の無数の痕跡のなかのひとつをたどりながら、添うように、縫うように、身体が流れて行くのであり、その流れて行く身体が、一瞬、鮮やかな光を放つのである。

そして、それは、辻けい! あなたの身体だろうか。いや、そこには確かにあなたの身体が流れているのだとしても、しかしそれはあなただけの身体だろうか。そこには、無数の身体が、無数の声が、一緒に流れて行かないか。誰のものでもない身体が、――そして、さらには――人間のものですらない身体が、一本の無数の糸のように一緒に流れて行くのではないか。遠い記憶のような不思議な光を放って、一緒に流れて行くのではないか。一緒に流れて行く――あるいは、そのことを確認するためにこそ、あなたのいくつもの「フィールド・ワーク」はあったとわたしは言いたい。

だが、間違えてはならないのだが、この〈一緒に〉ということは、かならずしも同じ現在においてというわけではない。むしろわれわれが考えなければならないのは、――それを考えているとぼうっとしてしまってあなたに笑われるのだが――〈異なった現在において、しかし一緒に〉という時間錯誤的な事態であるだろう。たとえば、経と緯とたった二本の糸を無数の糸の流れとしてあなたがそこにあなたの身体を織って行く〈現在〉がある。だが、この〈現在〉は、色鮮やかな布として巻き取られることになる。そして、また、遠く隔たったある日、たとえばアボリジニたちの砂漠で、それを開封し、それを広げ、みずから一筋の流れとなってそれを置いて行くあなたの身体のもう一つの〈現在〉がある。だが、それだけではない。

そのとき、あなたの身体がたどり、寄り添って行くのは、たとえば太古の一筋の水の流れでもあったりするだろう。大地に刻まれた一筋の溝をあなたの布が走り抜けるとき、そこにはすでに太古の水が音を立てて流れている。あなたの身体が水となって走っている。そして、またそこには、太古の〈現在〉もまた共起しているのだし、そしてそうであれば、今、写真を見ながらその流れのなかに滑り込もうとしているわれわれの身体の〈現在〉がどうしてすでにそこにないことがあろうか。無数の〈現在〉が一緒に流れて行く。流れて行くことにおいて、無数の時間が一緒になる。すなわち、一筋の布の流れ行くことにおいて——ほとんど禅の公案のようなパラドックスだが——なにものも流れ去ることがないことが、閃光のように、経験されるのだ。動かないモノとして考えるのなら、確かに、身体とは〈わたしのもの〉であり、つまりいかなる他者によっても共有されることのない個別的な量塊である。だが、もしそれを流れ行くものとして考えるのなら、そのとき、それは、ちょうどあなたが織る布のように、経と緯のあいだに無数の隙間と緩みをはらんで、そこに第三の見えない力、見えない次元を受け入れ、共振するしなやかでアノニムな流れであるだろう。モノとしての身体は、この地上にあっていつかは消えて行くべきものだが、そしてそのことをほんとうに分かることはこんなにも困難なのだが、しかし流れ行く身体は、消え去ったように見えて、しかしけっして滅することはない。

それは、もしその記憶を受け入れ、それをふたたび共に生きようとする不思議な祈りのような流れに出会うたびごとに、どれほど微かな地質学的な痕跡からもふたたび甦ってまたあらたに流れ出すのではないだろうか。

そう。そうした言い方があなたの意図に適しているかどうか、わたしにははっきりとはわからないが、しかしあなたの「フィールド・ワーク」は、芸術と呼ばれる行為よりは、はるかに祈りに似ている。だが、祈りとはなんだろう。それは、かならずしも超越的な存在への訴えではない。そうではなくて、それは、まずなによりも、わたしのこの時間が、他の時間、他者の時間と一緒にあるようにと願うことなのだ。

過去の時間も未来の時間もともにまたこの〈現在〉とともにあるように——そしてそのような不思議な時間の出来事が起こると信じること、それが祈るということなのだ。祈りは祈る人には属さない。そして、もしそれがなんらかの超越的な存在に属するのではないとすれば、そのとき、それは——あなたが示したように——きっと場所に属し、場所に捧げられるべきものなのだろう。それはささやかな、静かな祈りだが、しかしなんと鮮やかな、美しい色だろう。つつましい祈りが、しかしなんと激しい生命の色に染め上げられていることか。その色がいま、大地のなかへと還って行く——そこに、辻けいよ！　わたしはあなたのもっとも遠い祈りを聞き届けたように思った。

【スタジオ・アッズーロの新作を夢見る】

《タンブーリ》、夢の共有の装置

遠いものを夢みるように書くことしかできない。というのも、わたしはまだ、それを見たわけではないからだ。それでも、遠くから、いくつかの場所を経由し、さらには翻訳までされてわたしの手元に届いたわずかな言葉があって、それを透かし読むようにしながら、それが予告している接触と振動と通信とをわたしは夢みるように思いやっている。だから、違っているかもしれない。すべての夢がそうであるように、とりあえず《タンブーリ》と名づけられたこの作品もまた、現実のプロセスのなかで実現化されていくあいだには、さまざまな偶然・事故・限定に横断されて変容を余儀なくされるだろう。展覧会の空間で最終的に経験される夢とわたしが語る夢とがずれてしまうことも十分にありうる。だが、それでいいのだ。重要なことは、スタジオ・アッズーロが生み出そうとしている夢を、その生成の途上において、共有することだからである。

いや、すでにして結論めいたことを言ってしまうなら、かれらが企てていることとは、なによりも夢の共有の装置にほかならないからだ。

そのことを理解するために、論述はいらない。今回、それが併せて展示されるのは大きな喜びだが、スタジオ・アッズーロのインタラクティヴな作品の系列の原点とでも言うべき《コーロ（合唱）》を見ればいい。

われわれの足下に横たわり、半裸で——全裸の女もひとりいたようだが——無心に眠り続ける一群の男女たち。その身体の上をわれわれの足が踏むと男も女も、無邪気に、しかしエレガンスなしにではなく、寝返りをうち、こちらでは男の手が隣の女を抱え込むようにするかと思えば、あちらではごろんと回転した女が視界から消えて、今度は少し離れたところに出現する。たとえそれがイメージであると分かっていても、われわれの自然な倫理（不思議な言葉だ！）は、他者の身体を踏みつけにすることを躊躇わずにはいない、そのいささかの後ろめたさを、絨毯の上の男女たちは、けっして目を開かずに眠り続けることで柔らかに、いなすように受けとめて、それをかれらが別々に、しかし共同で見続けている夢のなかに解きほぐすのである。

もちろん、われわれは彼らがどんな夢を見ているのか知らない。だが、寝返りをうつ彼らの無防備な仕草を見ているだけで、われわれは彼らが夢のなかでなお、優しく、あるいは激しく他者の肉体を求めていることが分かるのだ。他者の肉体に触れること、ほかの誰かと「ともにいる」こと――そう、それこそが、彼らが共同で見ている夢の実質にほかならないだろう。その夢がまるで「合唱」のように立ち昇るそのなかにわれわれもまた、ほとんどわれを忘れて佇んでいるのだ。

スタジオ・アッズーロのインタラクティヴな作品の最大の魅力は、それがわれわれにわれわれ自身の思いもかけない「近さ」を開くことにある。しかも、その「近さ」が神話的な共同性の感覚に貫かれていることにある。実際、眠っているときほど、われわれがわれわれ自身に近いときはない。あまりにも近すぎて、われわれは自らを失ってしまうくらいなのだが、しかしその「近さ」のなかで、われわれはさらに他者に近づき、他者に触れようともがきもする。自己への近さと他者への欲望とが交差する、そんな人間存在の根源的な次元が、徹底して――しかしそれゆえにユーモアすら湛えて――まさにむき出しに裸にされていると言えるだろう。

コンピュータを中心にした精密で高度なテクノロジーを駆使していながら、スタジオ・アッズーロのポイエーシスは、こうしてわれわれにむしろ、これまでのメディアでは不可能であったわれわれ自身の存在の「近さ」を返してくれるようである。われわれは、これまで絵画にも映画にも触れることはできなかった。メディアは文字通りに「中間的」であり、そこでは触覚的な直接性は周到に回避されていた。ところが、アッズーロの作家たちは、精妙なテクノロジーを、まずなによりも観る者に触覚的なインタラクティヴを与え返すように用いるのである。まるで視覚が触覚の延長であるかのように、触れるというもっとも近い「近さ」の行為が、そのまま視覚的なイメージを呼び出し、動かし、変化させる。触覚とイメージとは――ということは接触による「近さ」と距離を必要とするイメージの「遠さ」とは――そこでは連続しているのだ。

共有と連続――おそらく、それがアッズーロの詩学のひとつの核である。

その原点的な核を《コーロ》以上にはっきりと物語ってくれている作品はないが、そこから今回の新作である《タンブーリ》までまっすぐにつながっている。実際、「近さ」――それはここでは端的に手である。手は、われわれ人間にとっては、なによりも「近さ」の器官なのだが、その手を面の上に置くというもっとも根源的ななつかしさの関係を反復することからすべてがはじまるのだ。

ここで思い起こしておかなければならないが、動物にとっては面というものは存在しない。

面は、――テーブルであれ、スクリーンであれ、また白紙やカンヴァスであれ――人間の文化がそこで繰り広げられるもっとも根底的な開けられた場所にほかならない。面の上に人間は、みずからの思考とイメージを投影することで文化を形成してきているのだ。そのような人間文化の根底にある面あるいはプラットフォームに手が触れる、するとそこにさまざまなイメージが浮かび上がるのである。アッズーロにはすでに文字通り《ターボリ》と題された作品があって、そこでは木のテーブルの表面にわれわれが手を置くやいなや、遠い伝説を思わせるようなイメージがそこに飛来し、また去っていく。

だが、今回の新作《タンブーリ》では、その根本的なコンセプトを受け継ぎながら、しかしその面が皮膚となり、膜となり、そして手とともに振動をはじめるようなのだ。テーブルがそのまま太鼓（タンブーリ）となる。そして、ここでは、太鼓は単にそこに立ち昇る音や音楽のためではなく、なによりも――もっとも原始的な仕方で――遠くへと通信するための装置として考えられている。

手という人間にとっての「近さ」そのものが、面の振動を通して、そのまま「遠さ」を超えた交信へと連続しているのだ。心躍らせる鮮やかな展開である、と言っていい。

だが、それだけではない。アッズーロから送られてきたプロジェクトのドラフトを読んでいると、「近さ」と「遠さ」の連続的な交信という次元とは別に、もうひとつの問題設定がそこに組み込まれようとしていることが分かるのだが、それは、一言で言えば「贈与」という問題である。

太鼓に手を触れる。すると太鼓の皮膚＝スクリーンには、まるで鏡のように、人間のさまざまな手が映し出される。だが、その手は、ただ世界に触れ、世界を変え（労働）、世界を読むだけではない。それはまた、そのなかに何かとても大切なものを握りしめているのだ。一瞬開かれて垣間見ることができるはずのそのオブジェが何になるのか、いまは分からない。貨幣、宝石、薬草、種、わずかな水、小さな道具……だが、何であれ、その握りしめる手にとっては貴重なもの、まるで世界すべてと等価であるほどに価値あるものであるはずだ。触れるだけではなく、握りしめることで手は、みずからのものとしたそのわずかな、ささやかなものを通して世界を自分のものにし、所有し、そして愛するのだが、その自らにとっての価値あるものを、人間はまた、他者に向かって差し出し、贈与するのでもある。かつてマルセル・モースがその『贈与論』で論じたように、それこそが人間の社会を成立させている根源的な義務であるからだ。

太鼓のリズムが高まってその頂点に達するとき、手が生み出す「近さ」の振動は、その手が握りしめているもっとも大切なものを、遠くへ、遠くの仲間へ、遠くの見知らぬ他者へと——プロジェクトによれば、「光輝く球体」となって——贈り届けるのだ、という。それは、この作品のもっとも詩的な瞬間であるにちがいない。その「光輝く球体」は、スクリーンに投影されたインターネット画面を通じて、——詳細はまだ不明だが——広い世界へとつながっているようなのだ。

こうして、この新作は、全身体的な、触覚的なインタラクティヴというアッズーロのポイエーシスの原点を受け継ぎながら、しかしその身体的な「近さ」の美学を、現代のインターネットという、言わば「近さ」も「遠さ」も失ってしまった無距離のシステムへと連続的に接続し、そこでほとんど原始的な贈与と交換とを実験するという大きな冒険を企てるものであるように思われる。「光輝く球体」となって発信された贈与が、インターネットの通信交換システムのなかをどのように経巡り、巡回して、また会場のこのあまりにも原始的な太鼓のもとに戻ってくるのかは、まだよく分からないが、しかし人間のもっとも原始的な、神話的な存在のあり方が、そのまま現代社会のもっとも高度なテクノロジーのシステムへと接続されようとしていることは確かだろう。

原始と現代、神話とテクノロジー、「近さ」と「遠さ」、身体と非身体的情報……そういったいくつもの対立項のあいだをしなやかに縫い合わせるようにしてスタジオ・アッズーロの作品はその夢を織り上げていく。人間のもっとも太古的な夢、人間にもっとも近い神話が、そこでは、高度なテクノロジーに支えられて、ふたたび鮮やかに息づいている。メディア・アートとはいえ、肉体をもったこの地上的な人間の姿は、けっして見失われていないどころか、むしろ人間存在の根源的あり方こそが、そこでは問われているのである。アッズーロの作品が、ときに不意に、わたしにミケランジェロの作品群を思い起こさせるのは偶然ではないだろう。ここには、もうひとつのルネッサンスとでも言うべきアートの思想がある。身体を備えた等身大の人間による共有へと限りなく開かれた「アッズーロ・ルネッサンス」なのである。

間奏

Y字路、どの道を行く?

【横尾忠則の世界を前にしたあなたに語る】

暗いトンネルを抜けて、あなたは、いま……

──FLASH、鏡、オーロラあるいは名、呼びかけ、叫び

「The Word in Art」、横尾忠則の世界 World にようこそ。

文字と形と色とがきらきら、いや、ときにはぎらぎらと輝くこの不思議な世界にいま、足を踏み入れようとするあなたの「横」に、眼には見えない、しかも誰だかわからないわたしがいて、その「わたし」がそっとあなたにだけ囁くガイドあるいはナヴィゲーション。すぐさま言っておかなければならないが、わたしの言葉は真か偽か、いずれにしてもあなたはけっしてそれを信じてはならない。

そう言われて、ほら、あなたはすでに途方もなく居心地が悪い。「信じるな」と言われて、しかし言葉は一方的に告げられる。この「信じるな」という命令そのものを「信じる」べきか

「信じない」べきか、すでにこれは「『すべてのクレタ人は嘘つきである』とクレタ人が言う」というあの古来有名なパラドックスそのままではないか。だが、これだけは「信じて」ほしいのだが、こうしてあなたが陥れられた居心地の悪さこそが、横尾忠則という「名」をもつワールドに入るためにどうしても通らなければならない「トンネル」あるいは「井戸」なのだ。

そう、薄暗いトンネルをあなたはとぼとぼと歩く。向こうに光の「穴」があいているようなので、そちらに向かって。出口で待っているのは何か、不安と疑いを抱えながら、あなたは歩く。歩いているときはどこまでも続く長い「暗夜光路」なのだが、端に辿り着いてしまえば、まるでアリスの「落下」のように一瞬の出来事。どうやって出たのか判然としないうちに、あなたはもう向こう側へと抜けている。

だが、実は、長いトンネルを抜けると、ひとつの世界、ひとつの風景がただ静かに拡がっているというのではないのだ。というのも、ここではなによりも空間そのものが、どこか奇妙で、どこか異なっているように感じられるからだ。いや、それはあなたがまったく知らない光景というわけではない。それどころか、デジャ・ヴュとでも言おうか、いつかどこかで識ったことのある光景のようでもある。にもかかわらず、なぜか空間そのものがかすかに歪み、揺れ、さらには、こちらの方に切迫してくるようですらある。
たとえば、いま、あなたの眼の前にある建物。塀に囲まれた二階建てか三階建てか、どこにでもありそうな家。夕陽なのか、オレンジ色に照らされたその塀に続く道に向かってあなたはいま、横断歩道のペンキのうえを歩き出そうとしかかるのだが、ふと気がつくと、おや、左側にもうひとつ似たような道があるではないか。すなわち、ここはY字路なのか。二つの道が交差しているのか。だが、ほんとうにそうか。この左側の道はほんとうにここにあるのか。見れば、道はどこか不吉で、路面は水に濡れたみたいに白っぽい影が映りこんでいる。空のほうまでも数字が書かれた標識が舞い上がっている。しかも道はどこに続いていくのか、黒と白の家並みが続く先は手前の暗さとは異なる妖しい光が渦巻いていて、あなたの眼差しはその奥には届かない。

だが、そうなれば、奇妙で妖しいのはこちらの道だけではない。はじめは現実的にも感じられたまっすぐに続く右側の道もよく見れば、空にはなにやら白と黒の文字が浮かんでいる。さらには白いグリッド状の模様も。そしてそこもまた昼でも夜でもないあの別の光が立ち籠めている。

文字は、LIEと読める。意味するのは「嘘」か「横（たわる）」か、それとも「横たわる嘘」か。いずれにしても、文字は家が「横たわる」世界には属していないように見える。むしろ画面の手前から、つまりそれを見る眼差しから画面のなかに「投影」されているように思われる。たとえば、高度な電子眼鏡を装着して操縦するパイロットの視界のように、視界のなかには、見える対象の像だけではなく、そのヴィジョンにかかわるさまざまな情報インデックスが投影的に重ねあわされているのだ。しかもそれは文字だけではなく、グリッドも数字の標識も……となれば、道路に描かれた白のペンキの線はいったいどちらに属するのか、あなたにはもう判断ができない。

もちろん、イメージの上に文字や情報を重ね合わせていくのはポスターの常套の手法でもある。だが、ポスターは動かない。ところが、ここでは絵画つまりヴィジョンは猛烈なスピードで動いているのだ。あっという間に、あなたはあの建物に激突しそう。あるいは、オレンジ色の塀と白の塀がつくりだす船の「舳先」のような鋭角がいまにもあなたに突き刺さってきそうなのだ。ここでは絵画の「いま」は切迫する「いま」である。眼差しは安定した場所から眼前の連続する光景を見ているのではなく、その光景が自分を引き裂き、あるいは呑み込んでしまうような「危険」とかかわっているのだ。いや、その「危険」に対して絵画はその空間の「危険」そのものを描くことを通じて危うく拮抗し、均衡すると言ってもいいかもしれない。

すなわち、このYの辻は、けっしてただあなたの進む道が分岐しているというだけではない。二つある道のどちらかを選ぶという問題ではないのだ。そうではなくて、たとえば不思議なことだが、あなたはこの左の道を通ってここに来たのかもしれない。そして、この辻を危うくターンして、いま、この右の道に向かおうとしているのかもしれない。あなたが通って来た道がどうして目の前にあるのか？　いや、その道は、まるで鏡に映った像のようにそこに「ある」のかもしれない。あなたが通ってきた暗い夜のようなあのトンネルが、そこに映りこんでいるのかもしれない。すなわち、ここでは、絵画はまるで「時間の鏡」のように機能していると言うこともできる。「鏡」には、あなたが抜けてきた暗い夜の道が、そしてここで屈折して続く未来の時間が、まるでFLASHのように、「閃光」のように、回帰してきているのだ。このワールドの公然たる秘密は、異なった時空が共存しているということであり、実は、イメージとは、反反復復、この回帰してくる時空にほかならず、その異なった「時空」がいま、襲いかかるようにあなたに切迫する。

A DARK NIGHT'S FLASHING——だからこそ、たとえば、左の道の塀にそんな言葉が浮かびあがってきてもいい。この言葉は、はじめから（という「時」は、実はここにはないのだが）この塀に描かれていたというよりは、あとから描きこまれたものである。すでに指摘したように、ここでは画面には多くの情報や言葉があとから、いや、同時に、描きこまれるのであり、いったい誰の言葉であるのかは知らず、このイメージそのものが、FLASHINGする「暗夜」であることを証している。

しかもそれだけではない。画面には、手を口もとにあてて叫んでいる（あなたの?・）「自画像」も（まるで「鏡」の効果であるように、あるいはそれ自体がYの分岐であるように）ふたつ、あとから描きこまれている。絵画が指示するのは、この叫びがShout toward the Shadow、「暗夜」に向かっての「叫び」であること。すなわち、ここでは、絵画が叫んでいる。さらに、絵画は「叫び」である。

だが、いったいどんな「叫び」なのか。それをあなたは「聞く」ことができるか。

たぶんここで、われわれはこのY・T（YOKOO TADANORI）ワールドの「歩き方」の重要な「指針」を手にしかかっているのかもしれない。それは、ここでは「眼」は「聞く」ことに開かれていなくてはならないということ。

しかし、「叫び」とはいえ、ここでの像はその声が遠くへと届くように手を口もとにあてているのだから、けっして恐怖の叫びではなく、むしろ呼びかけの叫びである。たとえばそれは「お〜ぉい」と叫んでいるのかもしれない、その夜、夜の奥に向かって。だが、いったい誰に向かってなのか。この夜の向こうにいるもうひとりの「あなた」に向かってだろうか。かつてそうであった遠い「あなた自身」に向かってだろうか。

だが、「お〜ぉい」と呼びかける、すると突然に、それに応えてオーロラのように降りてくる光があると想像してみてもいいのだ。このワールドにおいては、画面のイメージの奥はいつも地上の光とは異なる不思議な光が立ち籠めているのだが、それがいまや、激しい渦や波動となってイメージ空間の全体を巻き込みはじめているのだ。

FLASH、鏡、オーロラ——それでは、さまざまに様態を変え、隠れ隠されているようでありながらたえず回帰しつつ現れてくるこの光は何なのか？

だが、それを正しく名づけることはできない。というのも、この光は、まさに「名づける」という出来事がそこで起こる「場所」の光だからだ。

名は不思議である。それは世界には属さない。世界のなかには名はないのだから。にもかかわらず、われわれはさまざまなモノに名を与え、モノとの関係を確立し、そうしてこの世界をわれわれのものにする。だが、われわれはモノそのものにかかわることはできず、そこではモノはいつでもイメージによって媒介されている。「意味」というのではない。「意味」はすでにそれぞれの具体的な関係を抽象化して、無時間化してしまった廃墟だ。ところが、時間のなかでは、どんな名も具体的なイメージと結びついている。というより、名とイメージとのそのつどの結びつきこそが、われわれ人間にとっての「時間」の内実なのである。「ヴァイタミン」であれ、「ロディ」であれ、名があるところには、それがどのようなものであれ、普通名詞であれ、固有名詞であれ、イメージがある。そしてこの名とイメージとの関係そのものが起こる場所こそが、人間の精神の場所なのだ。つまりあの極北の光は、あるいは人間の精神というもののの光なのかもしれない。

現代になって事情はいくらかちがってきているが、しかし伝統的に西欧では、イメージと言葉とは明確に分断されてきた。絵画は知覚的なイメージを切り離して取り扱うように考えられてきた。この分断には、西欧において「自然」という観念がどのように成立したかが深くかかわっているのだが、非西欧の伝統、とりわけ象形文字を文化の根底に置く東洋の伝統においては、「自然」と「精神」は相互に深く浸透しあっていて、そのような分断は不可能。そこでは、イメージと言葉とは両立可能であるどころか、究極的には、異なっていないもの（不一不二）として考えられてきたように思われる。言葉には言葉そのもののイメージ（それが文字であり、声である）があり、そしてまたイメージにも、言葉がある。いや、どのイメージも言葉を発している。われわれの言語に翻訳できないにしても、イメージは沈黙の「呼びかけ」あるいは「叫び」を発していないわけではないのだ。

名、呼びかけ、叫び——だが、それだけではない。このY・Tワールドの不思議の過激さは、イメージと言葉とのこうした相互浸透が、もはや誰が語るともわからないフレーズにまで及ぶことだろうか。たとえば「神は死んだ」。これがニーチェの言葉であることは誰でも知っている。だが、ここではニーチェが語っているのでも叫んでいるのでもない。ニーチェの「声」は響いていない。だからといって「わたし」の「声」が読み上げているのでもない。そうではなくて、ひとつのフレーズが、そのまま書かれたものとして、——どこからだろう？——忽然と浮かびあがってくるのだ。

浮かびあがってくる？　そう、まるで奥底から水の「表」に浮かびあがってくるように。もはやあのY字路の空間を支配していた遠近法はない。まるで深い水のような「時間」の実質が拡がっているだけ。しかもフレーズは、こちらの側から書かれたものではなく、あちら側の世界、「時間」の奥の方から書かれたもの。こちらから見えるのは、鏡文字、裏から見た文字なのだ。とすれば、「わたし」とこのフレーズとは同じ世界に属してはいない。いや、「わたし」は「いる」のだろうか。「いる」のだとしても、まるで「死んでいる」のではないか。そのことをこそ、このフレーズは告げているのではないか。

「死んだ私に目覚める」――そうなのだ、あなたはいつものように、鏡を見る。あるいは、ナルシスのように、水面をのぞきこむ。すると、そこには見慣れたあなたの顔が映っているのではなく、「神は死んだ」あるいは「死んだ私に目覚める」というフレーズが静かに、限りなく静かに浮かびあがってくるだけ。そうか、わたしは死んだのだ、と納得し、そしてもちろんみずからを愛おしんで涙の数滴がこぼれ落ちると、水面には音もなく波紋は拡がっていく。とすれば、まだ涙を流すのだからあなたは生きているということか。死んでいるのか、生きているのか、またしても限りなく曖昧なのである。

この水、それはあなたの生の実質である。生とは、無数のイメージの堆積である。水の「表」に「鏡」のように外のモノが映りこむのではなく、水そのものが精神としてのあなたの生命であり、そこにはあなたが生きたすべて、あなたが生きるのに失敗したすべてが、無数のイメージとして凝集している。絵画はそこへと降りていく。ということは、絵画はそこであなた自身の生にほかならないイメージの実質を、それでも「外」から透視するように「見る」。絵画という「閃光」がきらめく。するとFLASHING！　まるで水が裂けたかのようにいくつものイメージがそこから踊り出てくる。そしていつのまに、水の全体がかすかに光を発し、いや、さらには赤々と燃え上がったりもするのだ。「水」も「火」も、それらはイメージという存在のそれぞれひとつの「相」にすぎないからである。

ここに絵画の「魔法」がある。いや、「魔」がある。Y字の辻にはいつも「魔」が潜んでいるのだ。

だが、間違ってはならないが、このY字の「魔の辻」は、このワールドにだけあるのではなく、そう、あなたの心のなかに、いつでもある、ということ。いつでも「いま」という時刻は、そのような交差路であるということ。ただあなたは、これまでそこに「横」から入ってくるもうひとつの「影」の道をけっして見ないように、気がつかないふりをして、生きてきたというだけ。しかし、いま、この危うい不思議の辻＝場所に断固として踏みとどまることを覚悟したひとつのワールドを識ってしまったあなたは、もうそれを続けることはできないのではないだろうか。

では、心の内側で交差するこの分岐の場所で、あなたはいったいどの道を行くのか。目の前の横断歩道をわたって、あなたはどうするのだろうか。

II

空間を横切って、宇宙への歩行

【吉増剛造の声の方へ、歩き出す】

追走・Inochi の地形を横切って

駒場から歩き出す。八月末の午後、夕方近く、雨に腐ったこの夏の名残りの一撃のような蒸し暑さ、林には（「狭霧」ではなく）湿気が立ち籠め、いくつもの種類の蝉が絶叫している。ミンミンゼミ、ツクツクボウシ、ヒグラシ、アブラゼミ……ノイズだが、しかし歌。すなわち、（なぜか漢字ではなく、こう書きたい）Inochi 立ち籠める林のなかを、わたしのメタセコイアの横を通って、塔を背にして、歩き出す。

歩行、差し出すために。歩行、ささげるために。ただそれだけ。だが、まずなによりも水の方へ。Mizu の匂いの方へと行ってみなければならない。

二〇〇七年も暮れかかる冬。休みに入って学生の姿もまばらになった（東大駒場）野《キャンパス》を横切って、東奥の木立のなかに、ひっそり、しかし一個の「眼」のように見開かれた秘密の池（通称「一二郎池」）へと、Gozo を案内した。ふたりとも黒いコートを着て、まるで二羽の鴉だ。(1) Gozo は、一九七七年から数年間、駒場に住んでいて、いつも近傍を歩行していたというのに、この「眼」、このMizu の存在を知らなかった。わが「駒場野」は、かれにとっては、立ち入り遠慮のZone だったのかもしれない。その秘密なき秘密のMizu へと案内できると、わたしはいささか得意だったか。「下北沢、不吉！」、ならば「駒場、秘密！」と、そのとき呟いていたわけではないのだが。

頭上からはお迎えの鴉の鳴き声、足下からはわれわれが踏みしだく枯葉の乾いた音。冬の空を映す小さな静かなMizu を見て、歩行詩人は、「こりゃ、セザンヌじゃあー！」と一声。わずかな高低ではあるのだが、明るい木立のなか、枯枝をぎしぎし踏んでおりていくだけで世界の地平線の下に出てしまう。行ったことがないにもかかわらず、わたしは「ほら、マイマイズ井戸のようではないですか？」と語っていた。世界の下にはMizu がある。井戸がある。ぐるぐると「舞い」を舞うようにまわって、詩人は世界の秘密の「湧き水」へとおりて行こうとするのかもしれない。

だが、いまは晩夏。ミンミンゼミ、ツクツクボウシ、ヒグラシ、アブラゼミ……勾玉のようにカーヴした小さな「眼」の池からまた世界に戻って、さあ、つぎ、歩行はどこへ向うか。手もとには、ファックスで送られてきたGozo手書きの地図がある。「一九七七年から、五、六年のことですので、記憶に崩れがあるのかもしれませんのですが、ココ、木造ボロの二階、たしか目黒区駒場一―二六―五でした」。ならば、その家がすでに存在しないことはわかっているのだが、「よし、その家に行く」と地図のなかに指示された『オシリス、石ノ神』（一九八四年）所収の「予感と灰の木」のなかの言葉に、わたしもまた「誘い出される」ことにしようか。図書館（戸谷成雄の木彫の対のカリアチードがガラス越しに見えるぞ）の傍を抜け、まるで人魂のように突然、踊り現れた黒アゲハに先導されて、いまはなくなった（矢内原）門を通りながらモミジバスズカケの巨木を見上げて挨拶し、梅林を越えて、鉄路が結界のように横断する踏切へと差しかかる。

だが、踏切もまた不吉。カンカンと警報機が鳴り、遮断機が降り、井の頭線の電車（の

「箱」）が横切っていく。と、轟音のなかに、細く聞えてくる声があって、耳を澄ませば、「そのとき……非常に胸騒ぎがして、気になっていた場所がこの東大前から右側に拡がる風景……駒場と東大前の二つの駅[2]を過ぎますと急カーヴしながら神泉のトンネルに……その直前に目に入ってくるごちゃごちゃした場所……子ども心に『こういうところにだけは住みたくないなあ』と内心言っていました……カーヴして……そこで意識が変わる、そしてトンネルに入っていく……暗闇に入る前になにか粒子の荒いものを見ているような……そこに十年住むようになりました[3]」と。これは、一九八七年のGozoの声。わたしが招いて行った駒場の美術博物館の講演会だったが、講演のタイトルが「武蔵野／駒場／水の道」。このとき、詩人は、――のちのGozocinéの原点と言ってもいいのかもしれないが――「わざわざ早朝二度にわたって駒場東大前－神泉間の不思議なカーヴへと詩的な探査を行い、それをスライドと録音とからなる二十分あまりのパフォーマンスとして」上演してくれたのだった。

　その声を思い出すようにしながら、踏切を渡り、二十七段の石段をおりる。線路はいわば小さな、しかし急な「《がけ》崖」の上を走っているので、そこから一気にMizuのない谷底におりていく。そしてすぐにまたのぼっていく。手書きの地図には、いくつか目印が描きこまれているのだが、Gozoさん、もう蕎麦屋の山田屋もないし、わたしもよく通ったCaféのZiziもありません。八百屋だったあたりはコインパーキングになっているし、銭湯はとうの昔に消えてしまいました（かろうじて残っているのは、角の佐々木時計店だけかな）。だが、地形Topographyはかわらない。地形としてのInochiの、つまりは精神の（Gozoではなく）「構造」はかわらない。そう、声は言う、「そのほかにも、池ノ上、下北沢、……気がつくとこのあたりに帰ってきているのです……山の麓から出てきて、都会に入りきれずに、都会の戸口のようなところにいる……」と。

ゆるやかに走ってきた武蔵野の丘が、辰巳（東南）の方向に、（海！ これも「眼」のようだ）「湾」へと急激に「崩れて」——たしか蛇崩という不吉な地名も近くにはあったな——「大都会」へと落ちていくこの「《がけ》崖」の一帯には、いくつかの水流が襞を刻んでいて、ひとつは宇田川・渋谷川、もうひとつは北沢川・目黒川。このふたつの水系に挟まれるように駒場野が拡がり、神泉（おお、なんと猥雑な神泉！）の丘が盛り上がっているのだが、いまかつてZiziがあった角をすぎて、二つの路が分岐する坂をのぼりながらあらためて思うのは、この時代、Gozoの歩行は、赤提灯とネオンが笑いさんざめく宇田川・渋谷川流域には向わなかったな、と（渋谷を迂回するようにまわって実践女子大や渋谷図書館に向う歩行はあったが）。むしろ人気ない、対極の三軒茶屋の方へ、不思議に乾いた歩行を実践していたのではないか——

駒場から三軒茶屋の方へ。小学校か中学校の校庭を、二度角をまわって、網ぞいに夜道を歩く。コンクリート柱が二、三本そして裸体のようにみえる樹木一本「すずかけ」と記述があった。

その樹がないと角がまがれぬとおもう。幾人もの人にも出会わない。

炎は樹から枝に下る。赤い土質の崖らしい坂を下って246の方へ歩いていった。

（「朝日の射す部屋」、『大病院脇に聳えたつ一本の巨樹への手紙』所収）

そして、わたしもまた、細い急坂から、——「巨樹」はなく、最近植えられたどこか場違いのオリーブの若樹が立つ——小さな角を「その家」の方へとまがってみる。途端、押し寄せてくるのは、「この夏の霊魂」（「熱風」）ではなく、緑色をした「古い古い記憶の森の恐怖」（「朝日の射す部屋」）でもなく、——「灰色の」と言わせてもらおうか——苦しみである。なぜかはわからない。わからないが、駒場時代のGozoの眼の底に、詩の底に、——「テルさん！テルさん！」（「織姫」、『オシリス、石ノ神』所収）という呼び声が聞える——わたしは勝手に苦しみを、灰色の苦しみを読みとっているのだった。(4) 右手はすぐに、――その時代にはなかったのではないかな――駒場児童遊園、ブランコとスベリダイ、それにシーツで覆われた砂場。子どもは誰も遊んでいない。左手には長く続く塀、その内縁には暗く繁った樹木が不規則に並んで、ここが手書きの地図で「旧駒場会館」と記された建物があった場所にちがいない。その建物は、詩人によれば「取り壊されたのが、一九七七―七八年で……『予感と灰の木』がそれでした……」と。その詩には、「大きな木造アパートは、二日間で壊された。シャ（ヨ）ベルは囲いのなかで若樹のように立ち。ひと振りで二階の一室はおちる。古い家の解体工事をみて《蛇の聲》を聞くのは、幻聴ではない」と書かれている。

この小路のつきあたり、いまはなき「ココ、木造ボロ」の家の「木製のモンに両肘をついて」、季節は春だった、詩人は解体工事を眺めていた。大きな家がショベルカーによって破壊されるのを見つめていた。すると、「こまかな塵の立つのを防ぐ撒水」の Mizu が春の日のなかに散っていくとともに、詩人の耳には、「立ち昇って来る、幽かな聲」があった。「《がけ》崖、《いちご》苺」――それは「蛇の聲」、かつて子どもの頃、遊んだ「村の小学校（ミッション・スクールの）、拝島の庭の蛇、其の蛇の聲」。その庭で子どもは「洗礼の儀式を受けた」。駒場の会館の解体工事の光景に、インファンス・子ども時代の庭の光景が重なるようにふってくる。「《がけ》崖、《いちご》苺」――すると、「時の根」から回帰してくる記憶があって、カフカのあの（これはいただいたファックスに書かれていた言葉なのだが）「毒蟲」のように閉じこもっていた「巣穴」のような、「洞窟」のような「家」に「ひかりが指して来て」、詩人は、さあ、いったいどんな「家」のことであったか、「よし、その家に行く」と決意する。

「《がけ》崖、《いちご》苺」――ひとつの言葉が立ち上がる。灰色の苦しみを引き裂いて、――優しく！――呪文が立ち昇る。すると、詩人の心で、――《この遊星も悪くない》――「その家に行く」という覚悟の「予感」が定まる。詩という歩行は、「この家」を解体し、引き裂き、そして「この家」ではない、「その家」に行く、という「出口＝入口」へと連れ出されるカオスのプロセスなのだ。詩の終りに近く、詩人は一行書いている、「ヒルは姿がみえなかった、灰の木が、あれ、木陰で泣いている」と。灰の木はどこにある？　わたしは、よくその形を知らないのだが、探してみる。だが、いまは「ヒル」だからか、わたしには見つからない。灰の木が木陰で泣いているのか、それとも灰の木の木陰で詩人が泣いているのか。詩人は一本の灰の木となって、そこではじめて、泣いているのか。《がけ》崖、《いちご》苺、とわたしもまた歌うように呟く。Inochi の地形は、苦しみの Topography。何本も見えない Mizu が走り、崖が続いている。その地形を歩行する。一本の灰の木を探して。一本の灰の木となって。あれ、木陰で、誰か、泣いている……

詩人にとっての「その家」が何であったか、知らず、わたしはもうない「旧駒場会館」、その「苦しみの家」の横を通りすぎる。詩人が住んでいた「ココ」は、いまは、なぜかほの暗い低層のマンション。横のスペースには、これもスズカケだろうか、巨大な樹もある。その角を折れて、淡島通りへ。そこから「小学校か中学校の校庭を、二度角をまわって」歩いてみる。大橋へと抜ける曲折の路。国道246にぶつかるところ、「大病院」ということになるのかどうか、東邦大学病院があって、そこに降りていく坂にこれもスズカケの巨樹が一本立っている。でも、病院の角、看板の上に突き出て、細かな葉叢を夕方の風にそよがせているのは、これこそ灰の木ではないのか。わからない。だが、今日のわたしの歩行は、七〇年代から八〇年代にかけて詩人が歩行した駒場の Inochi の地形をもう一度、辿ってみること。一本の「灰の木」を探してね。「灰」を探して。もちろん、Gozo さん、それがみつからないのでいいよね。ここは池尻、大橋。歩行が街へと溶け込んでいく「出口＝入口[5]」。わたしもそこへ溶け込んでゆく……

【荒川修作に語りかける、ふたたび】

FORGET ANY PINK！——詩的に（and / or）日付・建築的に……

AG, AGAIN、ふたたび
荒川さん　あなたに語りかけてみようか……
はじめてあなたに語りかけたときのように
（われわれの〈時間〉では）ちょうど三十年前のように
春だった
東京の千鳥ヶ淵は、満開の桜が咲き乱れ、無数のピンクの花びらが舞い散っていた
（WE ARE TOLD TO FORGET ABOUT PINK）[1]
桜吹雪のなかで

そのピンクの渦巻くフレームのなかで
わたしはあなたに「春ってなあに?」と訊いてみようと決意した
「春」という〈時間〉ってなあに?

*

(FORGET ANY PINK)
(FORGET ANY NON-PINK)
... I'M SO CONFUSED I'D LIKE TO FORGET THE WHOLE THING
(あまりにも混乱してしまって、こんなならすべてを忘れてしまったほうがいいな)

*

今日、ここは京都、北白川瓜生山
「春」はまだない、桜はまだ咲いていない、すべてはGRAY

（FORGET ANY GRAY）

（FORGET ANY NON-GRAY）

FRAME、それはダブル・バインド（Double Bind）

この行き詰まり、それが、荒川さん、あなたの「到達／出発」点だったよね？

（FORGET ANY GRAY）

（FORGET ANY NON-GRAY）

（... I'M SO CONFUSED I'D LIKE TO NOT TO FORGET...）

そう、忘れることができないこともある
今日は三月十一日
今日、3・11、それは、
（少なくとも、この列島に住むわれわれにとっては）
忘れることができないカタストロフィーの光景が戻ってくる〈時〉moment
二〇一一年三月十一日
太平洋の海底の奥で巨大な地震が発生し

巨大な津波が陸に押し寄せ
人々が住む村、町、都市、そのいっさいを破壊した
すべては滅茶苦茶になった
こう言おう、すべての FRAME が、いや、すべての SITE が滅茶苦茶になった
すべての建築が滅茶苦茶になった
すべての「生命の建築」が滅茶苦茶になった
すべての身体が流された
そして、そこには人間が住むことができない SITE が拡がった
しかも、その SITE には、（すべての場所ではないが）
目に見えない RADIO-ACTIVITY がしずかに降り注いでいたりもしたのだ
(FORGET ANY CATASTROPHE)
(FORGET ANY NON-CATASTROPHE)
（. . . I'M SO CONFUSED I'D LIKE TO NOT TO FORGET. . . ）

＊

荒川さん、あなたはこのカタストロフィーを知らない（かもしれない）。

あなたは、その八カ月前の二〇一〇年五月十九日にニューヨークで亡くなっている。

だから、あなたの「建築する身体」ARCHITECTURAL BODYはこのカタストロフィーを知らない。

あらゆる建築が滅茶苦茶に破壊されたこのCATASTROPHIC SITEを知らない。

だが、ほんとうにそうなのか？

（I'M SO CONFUSED）

だが、今日、ここにわれわれがいるのは、
荒川さん、あなたが死んだ二〇一〇年五月十九日から遠いとおい
まだわれわれの視界に入って来てもいない二十二世紀という〈時〉に向かって
「橋」をかけるため

「橋」を建築するため
だが、そうならば、偶然の符合かもしれないが、今日という〈時〉がわれわれに送り届けてくるカタストロフィーの SITE-SCENE を無視して、それを見ないことにして、「橋」を夢見ることはできない、とわたしは思う。

それが、今日のわたしの「倫理」だ。

（「倫理」とは、「偶然」を「意味」として受けとめることなのだから）。

（FORGET ANY CATASTROPHE）

（DON'T FORGET ANY CATASTROPHE）

＊

「滅茶苦茶」とわたしは言った。
（英語で言えば、MESS ということになるのか？）
MECHA-KUCHA
思い出そう、先に触れた一九九二年千鳥ヶ淵の PINK のなかでの最初の対話以来、二〇〇五年までに、荒川さん、われわれは七回の対話を行った。それは、対位法で書かれた「ひとつの主題による変奏曲」であった。「主題」は、一言で言ってしまえば、——あなたは、「主体」という言葉を嫌っていたし、それに代えて「生命」という言葉を用いていたように思えるのだが、——SITE へと LANDING する「主体」はなにか？　ということ、そして、それを「建築」を通して「つくりなおす」ことで「人間の歴史」そのものを「つくりかえる」というあなたの「夢」に対して、わたしはつねに、事態はすでにつねにそのように進行しているのではないか、「つくりなおし」をあえて試みなくても、「つくりなおし」は必然的に続いているのではないか？　という素朴な懐疑をぶつけるものであった。

そうして、そのたびごとに、われわれのあいだに、なにか、見えない「空白」が渦巻くように立ち昇っていて、それぞれはまわりをまわりながら、相手の尻尾をつかもうと手を伸ばしていたのかもしれない。

いくつもの興味深い「山場」climax があったが、そのひとつ、一九九八年七月十三日の対話で、荒川さん、あなたの「to not to die」（死なないために）を受けて、わたしは、「死」こそ「経験の総合」であり、そこにおいてこそ、人はこの世界が「三次元（空間）＋一次元（時間）」ではなく、じつは「滅茶苦茶な次元」であることに気がつくのではないか？　というボールをぶつけてみた。

　わたしは言った、「ひょっとすると、滅茶苦茶なディメンションがわれわれの存在を横断しているんじゃないだろうか。それで、荒川さんの仕事の最大のキーワードは、ぼくはディメンションだと思うんですね。荒川さんというアーティストは、ディメンションという問題をとことん突き詰めているほとんど唯一の人だと思うんです」と。

　あなたはすぐに返してきた、「あなたが言われたように、ディメンションは滅茶苦茶なんですよ。それを滅茶苦茶になってないようにしないと人間の世界がまとまらないから、ジオメトリーとか数学といった学問をつくりあげて、いかにも整っているかのようにしてきたわけですよ」と。

　そして、続けてあなたは言った、「デタラメの滅茶苦茶なディメンション、ディメンションとはそうでなければならない。ぼくの言い方では〈遍在する場〉、どこにでもある場、もっと日本人に慣れた言い方では『絶対矛盾の自己同一の場』だよね。（……）ディメンションというのは滅茶苦茶なんだ。もしそうだとしたら、生命と呼ばれるものは、そういうデタラメの滅茶苦茶なディメンションに決まっているはずだ。それで、生命が一番近づきにくいのは、人間のこの肉体なんですよ。近づいてこない、ディメンションが滅茶苦茶だから。だから、生命とぼくたちが呼ぶものは、肉体にはない、いつも出しちゃっているから」と。

「ディメンション」という言葉を、わたしは、時空の次元という意味で使ったのだったが、荒川さん、あなたは、それを感覚の諸相へと転換して応答してきた。実際、この発言に続けて、あなたは言った――「五感というものは、生命を追いやるというよりも、それによって距離をもたせるんです。その距離というのは、デタラメのディメンション、置き忘れてくるディメンション、隠されているディメンション、いまから始まるであろうディメンション、もはやあるディメンション、触れるディメンション、柔らかいディメンション……」と。

で、わたしは言った、「それこそが生命なんじゃないですか。そして、それがわれわれの肉体なんじゃないですか」と。すると、ここでも、いつものように、荒川さん、あなたはきっぱりと断言するのだった、「肉体はたんなる道具にすぎない」と。

それこそが、われわれのあいだの決定的なズレであった。

＊

われわれの最後の対話は二〇〇五年五月だったから、今日、およそ十七年ぶりに、――あなたの死と3・11のカタストロフィーを越えて――こうしてあなたへと語りかけるとするならば、わたしは、どうしても、あなたとわたしとのあいだのこの「ズレ」、そう、この「距離」を、ふたたび受けとめて、向かい合い、それに「再接続」しようとしないわけにはいかない。(「倫理」とは「偶然」を通して回帰してくるものを受けとめることだ)。

あのとき(一九九八年七月十三日)、この「距離」を――これもあなたのキーワードだが――「きりとじる」Cleaving ことをあきらめて、わたしは、対話を聴きにきてくれていた聴衆の方々との質疑応答へと舵をきった。そうしてそのとき、わたしが打ち切ってしまった対話のひとつのディメンションを、いまここで拾いあげて接続するならば、つまり「きりとじ」Cleaving をやってみるとすれば、わたしは、あなたにこう言うかもしれない。

――「荒川さん、そうか、この現にある肉体の外に、その滅茶苦茶のディメンションに、もうひとつの、別の『生命』が……さあ、『動詞』は何でしょう?……『ある』ではない、『生まれる』でもない……そのたびごとに、しかし永遠に、『ランディングする』という……『夢』?『思想』?『技術』?『願い』?……それを何と呼んだらいいのか、わたしはわからないけれど、それこそが、荒川さん、あなたが求め続けているものなのですね？

この肉体の外に、新たな『生命』が構築される。建築的な『生命』、建築的な『身体』。それは、はじめから、（この肉体ではないのだから）『死』は知らず、そのたびごとに新しく、だから（きっと）そのたびごとに永遠な、目に見えない『生命＝身体』なのだと。そしてそのためには、滅茶苦茶なディメンションそのものを『建築』しないわけにはいかないのですね？」

＊

荒川さん、今日、わたしがここにいるのは、ただ一言でいいから、ふたたびあなたに語りかけてみるためでした。ただの一言。それによって、二〇〇五年五月三十一日以後、中断されたままの、あなたとの対話をただ「一息」だけ――「二十二世紀」というより「永遠」の方に向かって――延長すること。

「滅茶苦茶」を受けとめて、そこにわずかに、「一息」の新しいディメンションを付け加えること。

それこそが「春」ではないか、とわたしは思うのです。
荒川さん、あなたに、小さな「春」を届けます。

【イッセイ・ミヤケ《プリーツプリーズ》をまとうあなたへ】

あなたは、ほんの少しだけだが、天使的になる……

それは、――「価値の転倒」という言葉の真正な意味において――紛れもなく一個の〈革命〉であった。すでに四半世紀の時間が経過しているのに、その鮮やかさは一向に色褪せることはない。いや、それどころか、〈革命〉は、いま現在もなお、深化＝進化しながら、ますます激しく続いている。見たことのない〈未来〉、来るべき〈未来〉に向かって。

一九八八年《プリーツプリーズ》の前身《製品プリーツ》誕生[1]――このとき三宅一生は、〈流行〉la mode という〈現在〉の呪縛にとらわれたファッションのなかに、〈未来〉へと伸びていく〈途〉という新しい〈様態〉le mode を切り拓いた。時代はいわゆるポストモダン状況が一気に顕在化し、歴史が過飽和の状態になって、クリエーションが過去のもののリメーク

remakeの意匠を競う方向へ流れるなか、かれは、一刀両断、ノスタルジーへの誘惑を断ち切って、――すでに「プリーズ！」と優しく微笑みながら――断固、見たことのない〈未来〉を手繰り寄せると宣言したのだった。

そう、《プリーツプリーズ》をまとうあなたは、遠い〈未来〉をまとっているのでもある。

だが、ここで〈未来〉とはなにか。驚くべきことに、――はっきり言っておかなければならないが――それは、〈人々〉peopleであり、かつ〈地球〉という惑星、つまりこの惑星に住むすべての人々（いや、それ以上にすべての〈生命〉と言うことすらできるかもしれない）である。すべての〈人々〉のための服なのだ。これがどのくらい革命的なことであるか。ファッションは、なによりも社会的な差別化のシンボルとして機能していたのだから。もちろん、〈美〉。だが、同時に、社会のなかの拘束の表現。この拘束を、ファッションのまっただなかで解除し、解放する――それこそ、三宅一生が、活動の最初から挑戦してきたこと。かれは、はじめから〈革命家〉であったのだ。いったいどんなファッション・デザイナーが、鳶職など市井で働く人々の作業衣に、さまざまな国の民族衣装に、さらには、皮膚を〈衣装〉に変える刺青までを含めて——それを自分のクリエーションのために「使う」ためではなく——心からの共感をこめて「美しい」という言葉を発しただろうか。かれにとっては、デザインとは、この惑星に住む〈人々〉common people という絶対的な「共有」の地平を開くことなのだ。

だから、《プリーツプリーズ》をまとうあなたは、なによりも自分が地球という惑星に住む〈人々〉のひとりであることを、あらためて確認する。

しかし、言うは易し、この理念をいかにして具体的なプロダクトにおとしこめるか。そのためには、まずなによりも素材が問われなければならないのは言うまでもない。少量しか生産されない稀少な素材を使うことは問題外。地球上のどこにでもある廉価な素材でなければならない。だが、廉価な素材をそのまま使ってしまえば、〈未来〉という〈夢〉ははぐくまれない。では、どうするか。この困難の極点において「プリーツ」という言葉が響いたのだったか、わたしは知らない。が、論理的な隘路が、思いがけないシンプルなプロシージャーによって一挙に解決されるのは歴史が示すところ。一枚のポリエステルの布が折りたたまれて熱を加えられると、まるで魔法のように、襞が現れ、襞が波打ち、あまりにも平凡でもあった布が、まったく新しい〈質〉をはらんで生まれ変わる。襞のひとつひとつが無数の可能性の〈時間〉をはらんでいるかのように――それこそ〈未来〉でなくてなんだろう――、布は、二・五次元というフラクタルな〈質〉をあらたに獲得して晴れやかに伸び、縮む。もはや二次元の形にも三次元の形にも拘束されない。両者の「あいだ」には、絶えず生成し、動き続けるダイナミックな〈時間〉が流れている。驚くべきことに、ここでは形とは運動なのだ。デザインは、ここでは運動へのはてしない呼びかけなのである。

とすれば、《プリーツプリーズ》をまとうとき、あなたは、出来上がった形を着るのではない。形は、あなたが動くことで生まれてくる。そう、あなたはダンスをするように誘われているのだ、〈もうひとりのあなた〉というダンスを動くように、と。

それは《プリーツプリーズ》がそれをまとう者の身体に〈軽さ〉を与え返してくれるということ。一枚の布に包まれているのに、身体は、その分、より軽くなる。より軽快になる。より自由になる。おそらく、人間の使命とは、地上という物質の重さを引き受けて、それをより軽く、より高く、より開かれたものへと変換させることなのかもしれない。そして、人間がそのような変換の運動を行うとき、人間の身体は〈光の痕跡〉をあとに残すだろう。オーラのように、コロナのように、鮮やかな〈色〉が空間を流れて行くだろう。〈色〉と〈軽さ〉が密かに結びついている。一枚の布に先導されて、そこでは身体の〈時間〉が、〈色〉の神秘的な〈明るさ〉へと変換させられるのだ。

だから、《プリーツプリーズ》をまとうとき、あなたは、鮮やかな翼を得て、ほんの少しだけだが、天使的になるかもしれない……

【日高理恵子と対話する】

木蓮の樹の下で――〈不可能な距離にさわるように〉

空と眼との出会いから生まれるものは何か。眼は、その光を消すのがたやすいもの、すぐに閉ざされ、すぐに（大地のなかに）埋められる。空はもう少し長いあいだ開かれたままであるように思われるが、しかしそれも永遠に持続しはしないだろう。では、そのふたつの出会いから生まれてくるものはどうだろうか？

――フィリップ・ジャコテ「果樹園を横切って」

日高理恵子は、人として美しい。〈樹と空と〉を見上げて三十四年、ただひとつの道を、迷うことなく、歩き続けている。なにか途方もなく純粋なものが、そこには、ある。いわゆる美的な、芸術的な〈意匠〉、すなわち、みずからの心をスタイルとして表現しないではやまない欲望から遠く離れて、彼女は、ただひたすら樹を見上げ、その樹の〈垂直〉を通して、〈空〉との距離を見つめる。

樹を見上げて描くようになったのは《葉光》という作品がきっかけですが、ふと見上げた空間が、重力の支配を感じさせない空間だったからこそ、惹かれていったのかもしれない。この見上げる視点への変化は、それまで絵画空間を支配していた重力、具体的には画面の上下という位置関係から自由になるためのひとつの方途だったのかもしれない。

（二〇〇二年「今、ここにある風景＝コレクション＋アーティスト＋あなた」展カタログより）

樹が好きな人はたくさんいる。日高理恵子も樹を愛する。だが、彼女が樹を描くのは、けっして樹への〈愛〉を表現するためではない。もちろん、彼女が愛着を覚える樹もある。長いあいだ、彼女は、自宅近くの神社の境内にある辛夷と山桜を描くことが多かった。それらの樹が、あるとき、とつぜん伐採されてしまい、途方にくれた彼女は、自宅の庭のさして高木ではない、サルスベリそして木蓮の樹を描くようになった。神社の境内でドローイングをしていたときは、境内に置いてあるベンチを樹の下に移動して、そこに腰かけて描いていたそうだが、場所が自宅の庭に移ったときから、彼女は、アルミの脚立に腰掛けて描くようになった。枝との距離が急に縮まった。手を伸ばせば触れられる距離で「樹と空と」を描くようになった。

言葉にしてしまえば簡単である。だが、想像してみてほしい。脚立に腰かけて頭上の枝を見上げ、そして目を下ろして膝にかかえた紙の上に描いていく。その繰り返し。たとえば今回のヴァンジ美術館の展覧会で展示された《空との距離XIV》の元になったドローイング、六九センチ×六九センチの大きさだが、それを一枚仕上げるのに、どのくらいの時間がかかるか。「三百時間くらい？」と本人に訊いてみる。彼女は、にっこり笑って「まあ、じゅうぶんそのくらいは……」と。途方もない仕事である。今日では誰でもポケットからスマートフォンを取り出してカシャ、一瞬で機械的に正確な像が手に入るというのに。いったい日高理恵子は、ほんとうに、なにをしているのか。どこにもまったく謎がないように見える彼女の絵の「謎」を少しでも理解するためには、わたしもまた、一度は、彼女と同じように、彼女の木蓮を見上げてみなければならないのではないか。その願いを彼女は聞き入れてくれて、五月のある日の昼下がり、あいにく雨模様ではあったが、郊外の住宅の小さな庭の出入り口脇の樹高六メートルにも及ばない小さな木蓮を、わたしもまた脚立にのって見上げたのだ。

日高理恵子は樹を、樹だけを描くが、不思議なことに、ほとんどの場合、幹を描きこまない。

木蓮の幹は、わたしの右側にあるのだが、見上げた先の視界には、そこから曲がり、分かれて、——じつはわたしが前意識的に予想していたのとは異なって——空に向かって垂直にではなく、むしろ斜め上に広がるように伸びていく枝と葉の複雑な、しかし方向づけられた絡みあいがある。その絡みあいをじっと見つめているうちに、空はそこにある、という奇妙な感覚が兆してくる。空は、まっすぐに立つ樹の遠い彼方に、たとえば空一面を覆うあの灰色の雲のところにあるのではなく、すぐそこに、手を伸ばせば触れることができそうなそこにある。近い、にもかかわらず、触れることができない距離。

そして、わたしは、自分は思いちがいをしていたのではないか、と考えはじめる。わたしは、——リルケだったか「樹とは純粋な乗り超えである」という言葉が響いてくるのだが——重力に拮抗して空に伸びる樹の垂直性というような観念に縛られすぎていたのではないか、と。日高理恵子は、その出発点において、土手の上からまっすぐ垂直に空に向かってのびる樹々を描いていた(「卒業制作」シリーズ)。水平からの視点である。それが《葉光》で、見上げる方向に転換する。先の引用にあるように、彼女は、それを「重力の支配を感じさせない空間」への変化と言っていた。「木蓮」の樹の下で、わたしに傘を差し出してくれている彼女に、思い出してそう言うと、彼女は、「じつは水平で見ていたときも、樹の〈かたまり〉としてのおもしろさに惹かれていたのですが、あのとき偶然、樹を見上げたら、〈かたまり〉が〈かたまり〉として見えておもしろかったんですね、それで《葉光》を描いたんです」と言う。
彼女が言うこの〈かたまり〉――それは、一個の個体などではなく、無限に枝分かれしながら空間へと伸び広がっていく枝葉の〈かたまり〉、いや、枝葉とそれを包み、それに包まれる空間とが渾然一体と絡みあった〈かたまり＝からまり〉である。それこそが、日高理恵子の絵画をつかんではなさないものにちがいない。

雨脚が強まってきたので、木蓮の樹の下から、日高理恵子のアトリエ兼寝室へと対話の場所を移す。デッサン修業のための石膏像（ヘルメス頭部）と多くの書籍のほかには、武満徹の『夢と数』そして全集、星座盤などが目につくだけのつつましい清潔な空間にわたしは感動したのだったが、ここではこれ以上触れない。今回は、なによりも日高理恵子という不思議な画家がどのように生まれたのか、理解するための標識をいくつか手に入れようと、彼女と絵画との出会いについて訊いてみる。すると、彼女がまず挙げた決定的な出来事は、一九七四年、十六歳のときの「セザンヌ展」。
彼女は言う――

これははじめて自分の意志でチケットを買って見に行った展覧会だったんですね。これを見て、わたしは、絵画をやろうと心に決めたのですが、もっとも心に残った作品は、不思議と、油彩の作品ではなくて、ゼラニウムとか紫陽花とかの水彩画でしたね。

セザンヌという名前が出てきたのは、わたしにとってはドンピシャで、というのも、わたしはこの日、日高理恵子を、「見ること」そのものを問うことを絵画にした画家、とりわけセザンヌとジャコメッティの延長線に位置づけようと考えていたからだ。だが、延長線とは、あくまでも二人との差異を明らかにするということでもある。とすれば、とわたしは、ここは厳しく彼女に問いかける――「日高さんにとって、色とは何なのでしょう?」と。

彼女は言う――

美術大学では、いろいろな課題が出て、もちろん彩色して描いていたことも多いのですが、卒業制作のときに、樹のドローイングがまずあって、それをモノクロームで描いたことが出発点でした。つまり鉛筆のドローイングをもとに、それを日本画の画材、水晶入りの胡粉とかでモノクロームで描いていく。それはたんなるスケール・アップではないので、そのときから自然と色を使うという発想がまったく起こらなかったんですね。

そして、《樹を見上げて》シリーズのうち、緑の色を使ったものが二点だけあると教えてくれる。

彼女は言う――

一九九〇年の作品ですが、描きはじめたときが今と同じ新緑の季節で、圧倒的な緑の存在を強く感じて描いたのですが、描き終わったときにこの絵の前に立つと、やはり緑を強く感じてしまって、それはわたしにとってはかならずしも描きたい空間ではないと感じたのですね。それ以降、緑を使いたい衝動にかられることは、いまのところ、ないんです。

そこで、わたしは、セザンヌにとっての「見ること」が、最終的には、色の「音階」による「センセーション」sensation の音楽的変換であったことを言う。その根底には、「エロス」があったのではないか、と。すると、彼女は、セザンヌが言う「Sensation（感覚）」とその

「Réalisation（実現）」が、自分のそれとどう違うのか、ずっと問い続けている、と言う。

彼女は言う――

セザンヌにとって〈感覚の実現〉が、どういうことを指していたのかなというのにすごく興味を持ち始めて、そこを想像することがおもしろくなってきて、たとえばセザンヌは距離はどう色に置き換えていくのかなと、それは迷宮でわからないのだけれども、もしセザンヌが色で置き換えた距離感があるとしたら、わたしはそれを、色ではなくて、どう描くことができるのか。追えるのか。わたしも色でやろうという気は起きなかったんです。

ならば、ほとんど「色」に訴えることなく、「見ること」を極限にまで追いつめたジャコメッティの事例は、日高理恵子にはどのように映るのだろうか。静物や風景を描きはしたが、ジャコメッティの「見ること」はなによりも人の顔との向かい合いにおいて壮絶な激しさを爆発させた。少し意地悪だったかもしれないが、わたしは彼女に直球をぶつける、「どうしてあなたは人物を描かないのだろうか？」と。

彼女は言う――

樹の枝を見上げて、その距離、それと空の距離をどうつかまえるのか、ということを考えたときに、今度は、ジャコメッティの〈見えるものを見える通りに描く〉とは、どういうことだったかを想像することで、わたし自身の想像が広がっていくということはあったのですが、かれにとっての〈顔〉は、わたしにとってはすでに〈枝と空〉であったんだなあ、といま思いますね。では、それ以前に、わたしは、人に対して絵に描く対象として興味を持ったことがあるかと考えてみると、ないですね。

さらに、しばらく考えてから、彼女は言う——

もしかりに、わたしが人を描こうとしたら、距離だけではなく、その人から感じる何かとか、感情を描きたい、感情を残したいという気になってしまうかもしれない。そう考えていくと、わたしにとって枝とか空が自分の想像だけを広げられることができる対象なのかなという気がしますね。

そこでわたしは、セザンヌの「見ること」が深くエロスに根ざしていたとするならば、ジャコメッティの「見ること」は死、あるいは無に根ざしていたとあえて言ってみる。では、エロスと死という人間の実存の二つの軸に、かならずしも還元できない日高理恵子の「見ること」の想像性とはどのようなものなのか。

彼女は言う——

すごく矛盾していると思うのですが、見れば見るほど、見極めきれない、測りしれないということがよりリアルに強く感じる。するとその見極めきれない、測りしれない、絶対絵に描けないものに、では、どうやって近づけるか、その見えないところを想像することかなと思うんです。わたしの求めているものは、想像の対象としてニュートラルなもの。感情や象徴的な意味が入りこんでこないもの。自分にとって、そのように限りなくニュートラルになってくれる存在こそが、樹や空だったのかもしれないですね。

この〈ニュートラルなもの〉、それこそが彼女の言う「距離」だ、と言ってよいだろう。「距離」とはいえ、測ることができるような「距離」ではなく、絵に描くことができない、測りしれない、それゆえに想像しなければならない「距離」。

とすれば、日高理恵子にとって「距離」は、どのようにあるのか。先ほどわたし自身が木蓮の樹を見上げて「空はそこにある」と感覚したあの感覚が戻ってくる。わたしはそのとき、ただ樹の下にいるのでも、樹の横に立っているのでもなかった。わたしは樹の下の空間に包まれていた。

そうだ、彼女は言う――「自分が樹の下に入って樹を見上げはじめたとき、わたしは自分の周囲に拡がっている空間を意識し、そのときはじめてここで感じているこの空間そのものを絵に描くことができないかなと思いはじめたんです」と。

そうだ、われわれが理解しなければならないのは、日高理恵子がただ樹の下にいて見上げながら樹を描いているのではないということ。そうではなくて、彼女は、そこで空間に包まれており、その「包まれ」をこそ描こうとしているのだ、ということ。

わたしはいま理解する、あの絡みあう枝は、彼女を抱き包む空間の〈手〉だということを。樹とは、彼女にとって、空間が彼女を抱き包む無数の〈手〉が生まれる場所。空間に〈手〉が生えてくる場所。だからこそ、日高理恵子の絵画は、大きな画面となって、抱き包む空間そのものとならなければならないのだ。

枝という〈手〉。そうであれば、その〈手〉に応答するのは、やはり〈手〉ではないのだろうか。すなわち、日高理恵子自身の〈手〉。鉛筆を、筆をもつ〈手〉。画材の物質性を触覚する〈手〉。

彼女は言う――

はじめは水彩絵具も使ったりしたし、油絵で風景を描いたりもしていたんですけれども、鉛筆が好きだったんですね。身近だし、手軽だしということもあるけれど、鉛筆だと明るさを作るときには、消すというよりは削るという感じがあって、その感覚が大事だったんです。逆に、油彩で描くときの筆の流動性がなぜか苦手でした。抵抗感のある素材が好きで、だからこそきわめて硬質な物質感がある日本画の画材の方に行ったのだと思います。

おそらく、ここには日高理恵子の絵画の「秘密」のひとつがある。すなわち、枝という〈手〉がはらむ空間のさざめくような襞の連なりを、彼女は、みずからの〈手〉が触れる素材がもつ抵抗感のある物質性へと翻訳していくということ。言い過ぎかもしれないが、彼女は、〈測りしれない距離〉を、素材の抵抗感を通して想像する。想像して描くのではなく、彼女にとっては、描くことそのものが想像することなのだ。描くことで、彼女は、樹の空間がはらむ〈測りしれない距離〉にさわろうとする。

まず鉛筆によるドローイング、それからそれをある意味では拡大的に「模写」するように日本画材による制作。その度ごとに、異なった素材による、異なった「想像」が起動する。このとき、日高理恵子にとっては、模写とはけっしてたんなる二番煎じのコピーなのではなく、それそのものが、想像かつ創造の行為である。彼女はアトリエの隅に段ボールの箱にていねいに梱包されて保存されている、学生時代のデューラーやレンブラントのエッチングの鉛筆による模写の作品を取り出して見せてくれる。小さな紙に描かれたそれらの人物像を見ているうちに、模写という行為から、彼女が測りしれない深さを汲み上げたのではなかったか、と思えてくる。2Bの鉛筆を握る彼女の〈手〉のうちに、すべての絵画史が流れこんだのではないか、とわたしは密かに呟くのだ。

セザンヌもジャコメッティも、かれらの「見ること」は、あくまでも〈向かい合い〉の関係に根づいていた。それは、――もちろんポロックなど、逸脱の事例にも事欠かないが――ある意味では、西欧絵画の究極的な原理であった。その主客〈向かい合い〉の闘争的でもあり、男性的でもある対立的空間関係、――彼女はそこに入らない。彼女自身が言うように「なにかを拒絶したりするのではなく」、ただ自然と入らない。あるいは、自然とそこからずれる。そして、対立的関係の手前に、あるいは彼方にあるようなもうひとつの包含的な空間、もはや対象関係によっては規定されないような空間を想像し、創造する。だから日高理恵子の作品を見るとき、――とても難しいのだが――われわれは、樹の枝を「対象」とする眼差しをもってそれを見てはならないことになる。そのような対象措定的な眼差しとは異なる、もうひとつの包み包まれ、触れ触れられるような、対象なき空間の広がりをこそ、そこに感じとらなければならない。それは、ほとんど空間にさわるように見るということにほかならない。

空間は、ただ透明に均質に無限に広がっていくというものではない。われわれが生きる空間は、空にのびる樹の枝葉がそうであるように、複雑にからみあい、無数の襞をはらみ、そして音楽のように揺れて、われわれを包みこんでいる。このニュートラルな〈かたまり〉としての空間、われわれひとりひとりの身体を包みこむ空間、そのなかでひとりの少女が手をのばして、その界面の目に見えない襞にさわろうとしている。なんでもないことなのに、しかし彼女の心をとらえてはなさないけっして解けない謎のようなその空間。少女は、鉛筆を握って、にっこりと誰もいない「あいだ」In between の空間に微笑むのだ。

そんなイメージが到来したからなのか、対話の最後に、わたしはきいてみる、「日高さん、どんな少女だったのかしら?」。

彼女は答える——

あまりにつきすぎているかもしれないけれど、あの空は描けないな、と思っていたことがありました。小学校の三、四年生の頃だったか、消防署のポスターのコンクールかなにかで、消防車が来ているところで写生する大会があったんです。そのとき消防車はある程度描けたとしても、周りの空がなにかペタっとなっちゃう。ものはそこにあると絵で描けるけれど、空はペタっとくっついちゃうと空にならない。空は描けないなと思った記憶があるんです。いま興味あることと同じ感覚だなあ、という感じがしますね。

消防自動車の強烈な「色」のまわりの空間を、同じように「色」で描くことはできないという発見で、それはあったのだろうか。「もの（対象）」ではない、「もの」を包み込んで、しかし広がっていく空間の測りしれない「謎」に、少女の眼差しは気づいてしまった。そして、きっといまでも、日高理恵子のなかで、その少女がその不可能な空を描き続けているのではないだろうか。

【黒田アキの庭を案内する】

Cosmogarden へようこそ——「空白の愛」あるいは「飛翔する City」

こうして、あなたは Cosmogarden へと招き入れられた。どこにでもあり、どこにもないガーデン。宇宙（Cosmos）がすっぽり入るほど大きい、しかし同時に一滴の水滴のなかにも、一塵のなかにも、ましてや一冊の本のなかにも、おさまってしまうほど小さな、もちろん秘密の、しかし誰にでも開けられたガーデン。そこでは、すべてのものが、はじめて見る新奇な、不思議なものであるようでいて、しかしよく見ると、いや、どれも昔、遠い黄金の幼年時代によく知っていたなつかしいオブジェ（もの）ばかり。と思ってよく見ると、しかしやはりどこか違う、なにかが微妙に違っていて、あるいはこれは、いまや無数の宇宙が存在するという最新の物理学の「Multi-Verse」理論が言う、われわれのそれによく似たもうひとつの平行宇宙の庭なのか。だが、このようなことは、誰もが日々、経験していること。夜、眠りに落ちると、その夜の底がぱっくりと開いて、いつの間にか、あなたは夢のガーデンのなかにいる。よく知っているはずの、しかしどこか微妙に違ってよそよそしい夢のオブジェ群。そのなかをあなたは歩く。そのように、しかし、眼は見開いたままで、あなたはCosmogardenの奇妙なオブジェのあいだを通り抜ける。するとあなたの歩行はいつのまにかかすかに青みを帯びて宇宙へと彷徨いだす。いくつもの惑星をかすめ通り、流星群を横切り、銀河ギャラクシーの迷宮をくぐり抜けて、原初の「夜」の彼方へ、宇宙の温度である（絶対温度より青さの分だけ熱を帯びた）「マイナス二七〇度」の方へ、そう、あなたは果てしなく落ちていく……

というわけで、あなたが眼にする最初の、そして最後の標識は、これ。

Conti/nuit/é（仏語、女性名詞）　もちろんContinuité（連続性）を切断しつつ「nuit」（夜）が現われ出ることをいう言葉である。日常の連続を打ち破って、底のほうから、なにやらobscure（正体不明）の「夜」が立ち上がってくる。その「夜」が宇宙への通路なのである。

だが、A・K（黒田アキ）の場合にあって特徴的なことは、この「夜」がなによりもまずは、

「線」として現れることである。「線」はすぐれて「連続」である。しかし、その「連続の線」が、絡み合い、ほつれあうと、そこにアモルフな「形」や「塊」が立ち上がってくる。

Embrouillement（仏語、男性名詞）　「線」や「糸」の錯綜、ほつれ。この効果のひとつが「éponge」（スポンジ）である。錯綜があまりに過激になるとCosmogardenはジャングル状になり、Cosmojungleへと相転移を起こすこともある。

Éponge（仏語、女性名詞）　スポンジ。黒板ふきでもある。Éponge noire黒いスポンジだが、当然、スポンジ状の「夜」のことである。なお、このスポンジが宇宙に投げ出されるとmétéorite（隕石）となって宇宙空間を飛翔するのである。

だが、「怪物」を忘れてはならない。A・Kの宇宙＝庭のもうひとつの特徴は、その「夜」が一頭の巨大な「怪物」と結びつけられることである。「夜」の底に「怪物」が棲んでいると言ってもいい、あるいは、「夜」そのものが「怪物」となってあなたを誘っていると言ってもいい。いずれにせよ、A・Kは、この「怪物」に名前をつけている。

Minosidéral（固有名詞、男性）　Minotaure（ミノタウロス）と sidéral（形容詞、恒星の）さらには sidérant（形容詞、仰天させる）の合成語か。いずれにせよ、巨大な雄牛であり、その二つの威嚇的な角がこれが「欲望」の表徴であることを示している。なお、Minotaure は言うまでもなくギリシア神話に登場するクレタ島の地下迷宮に棲む、頭が牛で体が人の怪物のことだが、A・Kにとっては、同時に、幼年時代に盗み見ていた、父親が取り寄せていたアンドレ・ブルトンたちのシュールレアリスム運動の機関雑誌『Le Minotaure』のイメージが強い。それは、少年A・Kにとっては、日常の連続体に「夢」の裂け目を挿入した「欲望の庭」だったのだ。なお、このミノトール＝ミノシデラルは、動物から機械へと復活＝再生的に相転移を起こすと、Minctauromachine（ミノトロマシン）というマシンにもなる。

ミノタウロスに行き着くためには、地下迷宮に降りていかなければならない。そこから迷わずに戻ってくることができるように、アリアドネーが入り口でその一端をもつ「糸」を引いてテセウスは降りていく。みずからの手が紡ぎだす連続である「線」を「アリアドネーの糸」のように引いて、A・Kは「夜」を降りていく。それはテセウスのように怪物を倒すためというよりは、実は、その「怪物」と出会うため、そしておそらくは、それを、つまり「愛することができないもの」を愛するためである。そこにA・KのCosmogardenがもつ本質的な優しさと悲しさがある。

では、どうしたら本質的に怪物的なもの、つまり本質的に「(たぶん、主体と客体の二重の意味で、というのも「愛」とはまさに相互性なのだから) 愛することができないもの」を愛することができるか。おそらく、愛を空白の仕方で保持すること、みずからの存在を空白にすること、そうして「怪物」とは別な方向に向かって、「人間ではないもの」になることである。たとえば「こども」infans、たとえば人形、たとえばカリアチード、たとえば天使Angel、たとえばミュータントMutant……そして同じことだが、けっして「自然」のものではない、どこにもない、たとえば「花」。

こうして、A・Kは、「空白の愛」、より正確には、そこで「愛」がひとつの「空白」として局限化するような場所を開く。その開かれた場所。もはや人間のものではない「庭園」。

それは、当然ながら、一方では、無人の「荒地」である。間違えてはならないが、そこで、ヒトリボッチの「ぼく」が大きな目を見開いているというのではないということ。実は、それは、まだ「ぼく」がいない、「ぼく」以前の「荒野」、いまだ人間的ではない、宇宙的な「不安」inquiétance（これは造語なのだが）と「無音」silenceが領する「荒地」なのだ。
だが、同時に、よく耳を澄ませてみよう。この「無音」は、実は、完全な「沈黙」ではない。そこには、低くざわめく無数の「ノイズ」Noiseがある。

Noise（英語、名詞）　ノイズ、雑音。だが、A・Kはしばしばこの言葉をフランス語風に「ノワーズ」と発音していた。

Noise（仏語、女性名詞）　「ひとに喧嘩を売る」というときの「喧嘩」の意。実は、A・Kは、一九八五年から九五年まで「Noise」という個人編集のマガジンをつくっていた。そこには、ジャック・デリダ、ミシェル・セール、パスカル・キニャールといった、芸術・文化の領域でもっとも輝く「星」たちが寄稿していた。それはパリの文化に開放されたもうひとつのCosmogardenだったのである。

A・Kの思想の過激は、「完全な空白」、「完全な沈黙」、さらには「孤独」が不可能であるということを知っていることにある。われわれの宇宙の温度は、絶対零度ではなく、あくまでも「マイナス二七〇度」なのだ。そのわずかに残り続ける地下迷宮に低く響く水の音のような「ノイズ」が、一挙に、「荒地」を「city」へと変貌させるのである。

City（英語、名詞）　「矛盾」Contradiction、「複雑性」Complexité、「カオス」Chaos などの開かれた組織である。Cosmogarden の変容体のひとつであるが、Cosmojungle とは異なって、全体がカオス状況を呈するのではなく、まだ、比較的独立した部分構造——それは場合によっては îlot（孤島・区域）あるいは satellite（サテライト）などと呼ばれる——を備えている。そうした部分構造のなかで比較的出現率が高いのが Atelier、Factory、Hospital であるが、これは順に、「創造」、「産出」、「修繕」に対応してひとつのサイクルを形成しているとも言える。

City は出会いの場所である。そこでは、見知らぬ者が見知らぬ者へ、誰でもない者が誰でもない者へとたえず出会っている。だが、忘れてはならないのだが、そこはまた、同時に、たえず出会いそこねる場所でもあるのだ。少女はすでに通りすぎてしまっており、残っているのは、輝かしいその「赤い靴」red shoes だけである。無数のアリス、無数の少女 girl が City を横切り、通過し、——どこからどこへなのか——立ち去ってしまったあとで、あなたは残された「赤い靴」を見つめながらただ放心するだけなのだ。そうしてあなたはようやく理解する。そう、あなた自身が、そのようにすでに通り過ぎてしまった無数の出会いの痕跡に、無数の穴を穿たれた一個のCityであることを。あなた自身が、あの無数の孤独な「赤い靴」からできていることを。あなたは、隕石のように、ブルーの宇宙空間を飛び続ける一個の完全なCityなのである。

【反歌・わたしは書いた】

青の祈り、どこまでも限りなく……

わたしは書いていた、「『ほら、これがきみの角だ。きみの意志であり、きみの欲望であり、そしてきみの孤独だ』——その鋭角（Y）を曲がるたびごとに、わたしの魂には切り裂くような鋭い痛みが走る。わたしはその痛みを反復演奏し、そしてそれを宇宙青のなかに溶解させる。すると、それが都市の一街路の全体を明滅させるのだ[1]」と。すっかり忘れてしまっていたが、「宇宙青」Le bleu de l'Univers とわたしは書いている！　とすれば、これこそが、わたしにとっての「青の彷徨」の出発点であったのかもしれない。パリ郊外のイヴリー・シュル・セーヌにあった「カーネーション工場」La Manufacture des Œillets で開かれた黒田アキによるインスタレーション展覧会「Cosmogarden 97」のために書いたテクストだった。

（一九九七年九月）

（一九九九年十月）　この年、一夏かけて、一冊の書物を書きおろした。『青の美術史』――「青」というどこまでも拡がっていく、もはやモノの色ではない色に、人間が、どんな「夢」を、仮託したのか、語ってみたかった。人間という限界を超えた「限りなき拡がり」への蒼ざめた「夢」、その歴史。

その冒頭、わたしは書いた、「青の方へ飛び立ってみよう。青の世界のなかに飛び込んでみよう――それが、たったひとつの合言葉です[2]」と。そして、二度も訪れたことのあるパドヴァの「青の洞窟」（スクロヴェーニ礼拝堂）からはじまって、「フェルメールの青」、「シャルダン青」、「ロマンティック・ブルー」、「セザンヌの青」、「ピカソの青の時代」……等々と経て、ついには、究極とも言うべきイヴ・クラインのＩＫＢ（インターナショナル・クライン・ブルー）に至り、そこからさらにはデレク・ジャーマンのただひたすら「青」の画面だけの映画『ブルー』（一九九三年）、アニッシュ・カプーアの十一個の青の石のインスタレーション（《竜》）、ヤン・ファーブルの青のビック・ボールペンによるシルク・スクリーンの作品（《嵐

*

の静寂の中の十字架、静寂の嵐の中の虫たち》）などと二十世紀最後の「青」の光景までを見届けて、最後に書きつけた言葉は「みずからの限りなさに目覚め、限りない世界を夢見はじめるとき、われわれの魂もまた青く輝くのではないでしょうか。そう、われわれの魂というものは、限りなきものなのです。つねに限りなきものを夢見る限りにおいて、われわれ自身が限りなきものであるのです。それが青の変わることのない神秘にほかなりません」であった。

それ以後、わたしは、たぶん「青の詩人」となったのだ。「青」の「夢」を口寄せするシャーマンとなったのだ。

（二〇〇〇年十二月）

＊

最初の舞台は、東京・五反田の東京デザインセンターのホールで行われた「青のフェスタ……生死のあわい」[3]であった。わたしは、ひとりの画家と三人の詩人を招いて、「青の祈り」を演出した。そして、その舞台のコーダとして、バッハの「神よ、憐れみたまえ」の音楽にあわせて、三十枚ばかりのスライド（マチスやサム・フランシスなどのアート作品とわたしが撮った外国の街の風景、そして「無」、「見えない光」などの言葉……さらには、あれは誰の顔だったのだろう？……思い出せない、西欧人の若い女性の緑の眼の写真）を投影した。当日、配ったフライヤーに、わたしは次のように書いている――「この小品は、ヨーヨー・マの演奏による『神よ憐れみたまえ』の音楽のなかに『遠い青』……〈生死のあわい〉というよりは、もっと遠く〈神と人とのあわい〉とでも言いましょうか……を感覚したことからはじまったものです。その青の感覚が、パドヴァのジョットの青と結びつきました。そう、あのスクロヴェーニ礼拝堂のなかでわたしはどんなにかバッハの音楽を求めていたことか。しかし、ひとたび結びつきが得られると……どんな結びつきでもそうですが……もうパドヴァにいなくても、バッハが聞えてこなくても、どこでもあの『遠い青』の現前に出会えます。ニューヨークの摩天楼の空の向こうにすら。そんな束の間の『青』の記憶のまわりを、わたしはヘルダーリンの『燕』のように飛び回ってみたいだけなのです」。

しかし、それだけでは終らなかった。わたしは、その夜、招いた三人の詩人の詩作品に応答するかのように、自宅の机の上に置いていたラピス・ラズリの石の「青」に触発されてつい書いた詩を発表してしまった。

無のレッスン（Lapis Lazuli）

ラピス、石よ
拾い上げて
双の手のなかにそっと包むと
青い光が零れ落ちる
ラズリ、空よ
それをささげる
わたしの斜め上で
ほのかに青く光っているものに
青く光ってわたしをみつめているものに
たとえば
とうにわすれてしまったわたしの罪
かつて結ばれていたいくつもの魂

渦巻く後悔
あなたへ
ラピス、石
ラズリ、空
瑠璃
蒼空よ
この石をささげる
この石は果実
この石は鳥
この空をささげる
この空は感情
この空は祈り
そうでなければ無
石のなかには闇があり
幾筋に分かれて走る金のきらめきは

大いなるものの怒りであり
空の向こうには夜があり
人間の
けっして終らない悲しみが
地平線を燃やし続けている
だから
ラピス
その石でわたしを打ってもいい
だが
ラズリ
太古の拡がりでわたしを包んでくれないか
すると
肩のあたりに静かに降りてくる青があり
あなたの眼差しのような青があり
まだ解読できない約束のように

ゆるやかに声もなく
明滅するだろうか
ラピス・ラズリ
わたしの双の手のなかの
ラピス
そしてラズリ
握りしめると
あっ　青
いつか彼方、未来
わたしがそこに消えていく
無が
いっそ香りたかく
ほとばしる

（二〇〇四年四月）

*

だが、わたしにとっての「青の旅」が黒田アキの「宇宙青」によってはじめられたにもかかわらず、『青の美術史』ではかれの「青」について論じることができなかった。「あとがき」にも、その悔いの意識は記されているのだが、それが甦ってきたのは、京都国立近代美術館で開かれたヴィクター&ロルフによる「Colors ファッションと色彩」展であった。カタログへの寄稿を頼まれたわたしは、「青の身体」のセリーの最後に、黒田アキの作品、「カリアチード」と呼ばれる「穴＝身体」に穿たれた「青」について書かないわけにはいかなかった。「この身体は、まさにカリアチードであって、もはや人間の身体ではないのかもしれません。マチスのヌードもイヴ・クラインの痕跡もまさに人間の女性の身体でした。しかし黒田アキにおいては、もうそうした最後の人間の徴《しるし》すら消えてしまっています。それは、あるいはすべての人間の身体がそこから生まれてくる鋳型のようなものだと考えることもできるかもしれない。そして、それに呼応して、それを取り巻く空間もまた、もはや地上の空間ではない。黒田のブルーは、ＩＫＢに似ていますが、それよりはもっと深いブルー、闇を内包したブルーです。しかも、マグマのように流れ出し、空間を埋め尽くすブルーなのです[4]」と、わたしは書いた。

（二〇一二年七月）

＊

だからこそ、前年の東日本大震災というカタストロフィーを受けて、オーガナイズされた「引き裂かれる光」展（セゾン現代美術館）において「青」のセクションの展示構成を担当することになったわたしは、本来は、コレクション展であったにもかかわらず、コレクションのアニッシュ・カプーアの《Angel》、イヴ・クラインの《スポンジ》などと並んで、黒田アキの《Blue Magma》三点を特別に招来させて、それを（特別に作ってもらった）〈伽藍〉の正面に展示しないわけにはいかなかった。そこから「宇宙的ノイズ」としての「青」を引き出したかったのだ。

「宇宙的ノイズ」――それが、カタストロフィーの時代における「青」の意味かもしれなかった――「〈青〉は人間の色ではありません。人間にとって限りなく遠いものを指し示す指標です。かつてガストン・バシュラールは『空と夢』のなかで『はじめにはなにもない、ついで深い無がある、それから青い深さがある』と書きました。〈青〉について語って、これ以上深い言葉はありません。にもかかわらず、二〇一二年のいま、われわれはもはやそれに夢を預けられないのではないか？　すでに即今《いま》われわれの足元には、青味がかった脅威がほとんど聞き取れないノイズのように押し寄せ、砕け散っているのではないか？——そんな問いかけを繰り返すことを通じて〈青〉の展示が少しずつ姿を現してきました。アニッシュ・カプーアの《Angel》は宇宙から落ちてきた〈歴史の天使〉でありました。イヴ・クラインの《スポンジ》は人間の憧れのすべてを吸い込んでいっそ崇高です。それに対し黒田アキの《Blue Magma》は人間の意味の世界を根底から揺り動かす宇宙的ノイズでもありましょう。そしてアバカノヴィッチの《四十体の背中》はカタストロフィーを生きることを運命づけられた、もはや個人などではない、われわれ〈人類なるもの〉のメタファーとなるのではないでしょうか。廃墟は無神伽藍、さらには無心伽藍です。そこでは光は〈痛み〉となる……その〈痛み〉を——たとえ一瞬だけだとしても——みなさまの眼差しとともに共有する、それこそがわたしのささやかな〈願い〉なのです(5)」。

そして、そこでもまた、わたしは詩を書かないわけにはいかなかった。それは、カタストロフィーの犠牲者への「追悼」を込めた、わたしの「祈り」の詩であった。

Blue Catastrophe——堕ちた天使のバラード

空がわれて
（そして海もわれて）
堕ちてくる青い石
（そして灰色の波）
破壊
世界崩壊
いまだに不可視の崩壊が続いている
その崩壊の光を浴びて
（ああ、災厄のなんと静かなこと）
それでも世界はこのいま、華開する
瓦礫、残骸、廃墟、屑
それでも

そのたびごとの
華開
Catastrophe として
ブルー
それはわれわれの絶望ではあるのだが
だがこの絶望は宇宙的だとあえて言おう
Cosmos は Big Ban 以来
ひと続きの爆発にほかならないのだから
(でも、そのなかに
わたしがいて
あなたに逢ったりなんかして
いや、ほんとうにそうなのか)
人間のこの非人間的な(無)根拠
Cosmostrophe
ブルー・ノイズ

そこから堕ちてくる
そこへと堕ちていく
――もう鳥のように飛ぶ、と夢みることはできないのだから
すべての瓦礫は残骸である
すべての廃墟は建立の意思の残骸である
すべての屑は夢の残骸である
われわれもまた
〈賢治兄よ、わたしは一個の青い〈災厄〉！〉
その地形を聞け！
そのうねりを視よ！
飛び散った触感
おびただしい人の影
縺れとしての運命
宇宙のオスティナート
――**正法眼蔵　牆壁瓦礫　世界崩壊　古佛心**

一塵出頭してすでに汚染せり

（経文のような声が通りすぎたような気がした）
青に汚染した雪の原で
空を高く横切って
（あなたの手をにぎりたいな）
（手だけでいいから）
「その間にも天使の眼前では、瓦礫の山が積み上がって
天にも届かんばかりである」（W・ベンヤミン）
（あなたの息にふれていたいな）
（息だけでいいから）
一息だけのわずかな願い
一刻だけの無のような祈り
この無のなかを堕ちていくにまかせよ
心よ
もう心はないのだから

ブルー
限界なきものの淵

＊

（二〇二二年三月）　そして、やはり「青」は回帰してくる。金沢21世紀美術館の「BLUE」展に呼ばれて「青の美術史」について講演することになった。もちろん、ジョットからはじまる西欧美術の「青」の歴史を語ることは、それなりにできる。だが、それはまた、わたし自身にとっての「青の旅」を振り返ることでもある。そして、そうなると、――「青」の衝迫は止み難く――わたしは、ここでも、一篇の詩らしきものを書かないわけにはいかなかった。

（ ）am blue...faint noise like a prayer――墜ちた天使のバラード（2）

海鳴り
空鳴り

かすかにさざめいて
満ちて
引いて
　ノイズ
　(faint noise like a prayer)
まるで祈りのように
なにも祈らない祈りのように
(「なにもない」があるように)
(「深い無」があるように)
そして
(「青い深さ」があるように)
Noise, Blue

　ブルー・ノイズ
　そこから墜ちてくる

そこへと墜ちていく

とわたしはすでに書いていた

それから十年の時間が流れて
世界はますます荒れ狂うカオスへ
わたしは、いま、
どんな〈希望〉を託すことができるのか、ブルーに

ブルー・ノイズ、ブルー

でも、きっと、〈わたし〉が託するのではない
〈希望〉はわたしが想像し、願うのではない
〈わたし〉ではない
〈わたし〉はいない

その〈いない〉がある
　まるでノイズのように
　ブルー・ノイズのように

　（　）am blue
　am blue
　blue
　be　being

残りつづけるノイズ
かすかな、かすかな波
それは、ひろがり
ひろがり、あおく、ノイズ
ブルー

そうか、これを、あなたは〈永遠〉と呼んでいたのだね？

eternal
eternal blue

それは、時《とき》
〈永遠〉としての〈時〉

そのなかを
どこまでも墜ちていくのであったか？

あなたも
わたしも
誰でもないものも

ああ、なんとなつかしい
〈それが消えていく最後の〈わたし〉の意識だ〉
ああ、なんといとおしい
〈それが〈あなた〉への最後の思いだ〉

ブルー
ブルー・ノイズ
ぽっかりと〈無〉のなかに浮かんで

ブルー
どこまでも

【Yのモノローグ、あなたに向けて】

〈見ること〉の冒険、激しく、終りなく……

「やっぱり時代は激しいのだわ。時代の水圧に対抗できるだけの激しさが、これほど求められているときはないとわたしは思う」（本書一九頁）とあなたは言っていた。いまから四半世紀も前、二十世紀という時代が終ろうとする頃だった。身体という、この誰にとっても、一般的であり、かつ特異的である存在が創造的に肯定されること、それがあのとき、わたしたちがともに語りあったアートの倫理であり、夢であったよね？

そのささやかなテクストを、いわば冒頭の「指示記号」にして、わたしがこれまで書いた（単行本未収録の）現代アート関係のテクストを一個の〈運動〉

として構成するアイデアが、若い編集者によってもたらされた。それは、わたしにはある種の贈与《ギフト》だったね。九〇年代初期から現在に至るまで、時代も違う、ジャンルも違う、そういう雑多なテクストを、長いトンネルのような夜の洞窟を通って、Y字形の分岐点にさしかかり、そこから今度は、街を抜け、樹の下を通り、庭を横切り、そうして最後には宇宙の方へと行こうとする……そのような「見ること」の激しい冒険として再構成したいと、かれは言ってくれたのだ。

　というわけで、わたしは、自分が書いたテクストをまとめて読み返した。すると、ひとつひとつのテクストは、それぞれ対象となっているアーティストのアート活動の核にある「秘密」を探って、それを言い当てようとしているのだが、全体を通してみると、そこには、わたし自身の一貫した「スタイル」が浮かびあがってきていた。それは、一言で言えば、三人称的に論じるのではなくて、二人称的に語りかける「態度」、「二人称のクリティーク」と呼んでもいいかもしれない。かならずしも、全部のテクストがそうであるわけではないが、三人称的な論ではなく、あくまでも一－二人称の語り《パロール》のエクリチュールを、わたしはずっと実践してきたようにも思えてきた。

では、その原点はどこにあったのか？　そう自問してみたら、降りてきた答えは、なんと、わたしが八四年に訳したマグリット・デュラスの『死の病い』だったかもしれない、というものだった。もちろん、わからない。でも、全篇「その夜まで、あなたは眼が見ているもの、手が触れているもの、体が触れているものを知らないでいることがどうしてできるのかを一度も理解したことはなかった。あなたはその無知を発見する」というように二人称で書かれた「死」についての物語《レシ》と格闘したことが、あるいは、それぞれのアーティストの世界を、「美」そして「倫理」についての激しい、特異な物語《レシ》として読み解こうとするわたしのクリティークの秘密の原点であったかもしれないと思わされたのだ。「死の病い」ではなく、「美の病い」……la maladie du beau そうだよね、実際、あなたは言っていた、「非常な忍耐を通じて、そんな耐えがたさの領域にまでアートは行き着いてみなければならないのでは……そしてそこではじめて触知可能になる極度の優しさ、残酷さと見極めがつかないような優しさがあるのでは……」と。

そして、わたしは思い出す、『死の病い』の最後の言葉を。そこには、「すぐにあなたはあきらめる。もはやあなたは、街のうちにも、夜のうちにも、昼のうちにも、彼女を探さない。こうして、しかしながら、あなたはあなたにとってただひとつ可能な仕方で、すなわち、それが生じてしまう前にそれを失うという仕方で、その愛を生きることができたのだった[1]」と書かれていた。

それが起る前にそれを失うことによってその愛を生きる……奇妙な「愛」だ。だが、ひょっとしたら、それはまた、われわれがアートを愛するただひとつ可能な仕方なのかもしれない。あなたは言っていた、「『愛』がもはや名によっては耐えきれない領域にまで、わたしたちを連れ出すのだとしたら……」と。われわれは名を失う。われわれは顔を失う。われわれは「われわれ」を失う。そこでは、もはや「わたし」と言うことも「あなた」という言うことも不可能だ。二十五年前、あなたは、最後には、声にならない言葉となって「(このように、抱きあうわたしたちのように……)」と書きつけてくれた。だが、いま、あなたはどこにいるのか？　時代はあのときよりも、さらに激しく、さらに残酷になり、この時代の水圧の下で、われわれはどのように「抱きあう」ことができるのか？

「抱きあうこと」、それが「夢」だった。それが「夢という病い」であった。その「夢」を、まるでひとつの物語《レシ》のように語ってみたかったのだ。そうすることで、この終りなき物語を、もう少しだけでも、継続させる——それが、このささやかな一冊の書物に託すことである。

註・初出

創造的な差異へ（1997）

＊　世田谷美術館「デ・ジェンダリズム——回帰する身体」展カタログ、一九九七年所収。展覧会カタログの「序」として書かれたテクスト。学芸員だった長谷川祐子企画の展覧会だった。エヴァ・ヘス、マシュー・バーニーからヴィト・アコンチまでわたしがよく知らなかった、当時の最先端とも言うべき世界のアーティストの作品が展示された。わたしはそれぞれの作家について論じる視点からではなく、「デ・ジェンダリズム」というその斬新なコンセプトに対して自分なりに反応することを試みた。

クリスチャンにささやく（2017）

＊　東京都庭園美術館「クリスチャン・ボルタンスキー　アニミタス——さざめく亡霊たち」展カタログ、二〇一七年所収。展覧会そのものの会期は二〇一六年九月二十二日—十二月二十五日であり、このテクストは展覧会を観たあとに書かれたものである。それぞれの作品について語るのではなく、クリスチャン・ボルタ

ンスキーという存在の「秘密」を、かれへの語りかけというスタイルを通して明らかにしようとしたテクストで、本書を貫く「二人称のクリティーク」というスタイルの原型でもあり、本書のタイトルとさせていただいた。

（1）　クリスチャン・ボルタンスキー＋カトリーヌ・グルニエ『クリスチャン・ボルタンスキーの可能な人生』佐藤京子訳、水声社、二〇一〇年、一八頁。

なつかしき小夜、咲きこぼれる赤（2015）

＊　東京都現代美術館「山口小夜子　未来を着る人」展に森村泰昌が作品を発表。それにあわせて銀座の資生堂のホールでトークが行われ、わたしも登壇した。それを踏まえて資生堂発行の『花椿』八〇八号（二〇一五年六月刊行）に寄稿したテクスト。

（1）　第五回ロレアル賞連続ワークショップ「色を生きる……アジアの色、アフリカの色」（二〇〇一年十二月十四日、東京デザインセンター）。そのとき山口小夜子は、「まず基本は、まじり気のないところから始まるんですね。わたしはそこにひかれるんです。色に関して言うなら、まじり気のない純粋な赤、純粋な青、純粋な黒、そういうところから発展して、それが合わさっていって融合して何か違うものが生まれる」と語っていた。

ギ・装置Ｍの降誕祭《フォリーナイト》（1996）

＊　横浜美術館「美に至る病――女優になった私」と題された「森村泰昌」展カタログのためのテクスト。

（1）　言うまでもなく、マルセル・デュシャンの遺作のタイトルを踏まえている。

（2）　この東京大学駒場キャンパス九〇〇番講堂に「マリリン・モンロー」が「降誕」した出来事に関して

は、拙著のなかで何度か記述している（『大学は緑の眼を持つ』未来社、一九九七年／『日常非常、迷宮の時代　1970-1995』未来社、二〇二〇年などを参照のこと）。

生命を荘厳する〈最初の画家〉（2021）

＊　国立国際美術館（大阪）／長崎県立美術館／三重県立美術館／オペラシティ・ギャラリー（東京）を巡回した「ミケル・バルセロ」展のカタログ『ミケル・バルセロ』（水声社、二〇二一年）に寄稿したテクスト。註（1）にあるように、バルセロについてすでに一冊の本を上梓しているわたしは、日本でようやく実現した大規模な個展の開催をとても喜んだのだったが、残念ながら、その時期に世界はコロナ禍に襲われ、画家本人もなかなか来日できなかった。しかし、全会期終了まで残るところあと数日というぎりぎりのタイミングで、かれは日本にやって来た。短い時間ではあったが、ひさしぶりにかれと話ができた。

（1）　小林康夫『ミケル・バルセロの世界――形という生命／物質と暴力』未来社、二〇一三年。

（2）　同書、一〇七頁。この引用に続けて、わたしは「わたしというのは、わたしの〈意識〉ではない。その向こう側に、もうひとつ、そこからすべてがはじまり、そこへすべてが還っていくような限りない〈海〉が渦巻いている。そう、それをわたしは〈春〉と名づけてもいいのだ。ウィーンで、わたしはわたしの〈春〉と出会った」と書いていた。

（3）　この「来るだろうか？（arrive-t-il ?）」は、わたしの哲学の「師」のひとりであったジャン゠フランソワ・リオタールの芸術の哲学の言わば中心紋であった。それは、「起こるだろうか？」゠「到着するだろうか？」と訳してもいいのだが、いずれにせよ、けっして計算して予期することのできないような「到来の出来事」こそ、芸術というものの場なのだ。これもフランス語の固有語法ではあるが、「起こること」とは「場をもつこと」avoir lieu にほかならないのだから。

（4）　二〇一七年の国際写真展「キョウトグラフィー」では、このショヴェ洞窟壁画の映像（ラファエル・ダラポルタ撮影）が展示されたのだが、その会場で、わたしはミケルと洞窟壁画とかれの絵画との密接な関係をめぐって対談をした。その記録がYouTubeに残っている（https://www.youtube.com/watch?v=o6536kABvpU）。また、そのとき、ミケルは、二条城の広場で、トイポップのパスカル・コムラードの音楽と共演しつつ、巨大なスクリーンに「水」で絵を描くパフォーマンスも行っている。そのタイトルがまさに「幽霊的像」l'image fantômeであった。

（5）　わたしの勝手な想像なのだが、ミケルが、ここで論じた「渦巻く時空」を自分のものとして感覚するようになったのは、なによりも毎日のようにマジョルカ島の海に潜って蛸や魚と戯れていたかれの少年の日々の体験に深く根ざしているのではないか、と思う。「海」という底知れぬ物質の「時空」のなかでの「見ること」。「海」こそミケルの「絵画」（いや、「海画」！）の原点なのではないか。「海」こそ「生命」のもっとも古代の「神秘」の「時空」なのではないか。今回、展開しきれなかった論点をここに書きとめておく。

閉じた眼も見ており、開いた眼もまた盲目に浸されている（2002）

＊　木下晋『生の深い淵から』里文出版、二〇〇二年所収（原題「生の真理としての眼」）。

流れ行く身体（1992）

＊　『辻けいのフィールドワーク・ノート』SOKO東京画廊、一九九二年所収。なお、辻けいについては、彼女との対談が拙著『創造者たち』（講談社、一九九七年）に、また二〇〇五年には、青森の国際芸術センターに設置された彼女のインスタレーション作品《青森－円》のなかで、友人たちとともに茶会を行ったこと

があり、その記述（「月に向かって、再生の儀礼を創造する」）が拙著『知のオデュッセイア』（東京大学出版会、二〇〇九年）に収録されている。

《タンブーリ》、夢の共有の装置（2001）

＊　NTTインターコミュニケーション・センター（ICC）「スタジオ・アッズーロ《タンブーリ》――開かれたインタラクティヴ・アート」展カタログ、二〇〇一年所収（原題「展覧会に寄せて――スタジオ・アッズーロの新作《タンブーリ》」）。

暗いトンネルを抜けて、あなたは、いま……（2013）

＊　横尾忠則現代美術館「開館記念展2　横尾忠則展――ワード・イン・アート　字は絵のごとく、絵は字のごとく」カタログ、二〇一三年所収。

追走・Inochi の地形を横切って（2017）

＊　二〇一七年十一月、足利市立美術館で開催された「涯（ハ）テノ詩聲（ウタゴエ）詩人　吉増剛造」展カタログに寄稿したテクスト。原題「追走・Inochi の地形――剛造さんの『歩行』の原風景をたずねて」。なお、水声社から二〇二一年に刊行した個人雑誌『午前四時のブルー』第Ⅳ号には、吉増さんの詩「*Ciel slach*《スラッシュ》空《ソラ》」を手書き原稿とともに掲載している。また、同じく水声社刊行の拙著『存在の冒険』（二〇二一年）にも、わたしと吉増さんの出会いの原点である一九七二年にわたしが書いた詩論「希望の詩学」が収録されている。

（1）　都心のある場所であったGozocinéの上映会で、機材の調子が悪くてうまく上映できなかったことがあって、それならわたしがリーダーをしていたＵＴＣＰ（University of Tokyo Center for Philosophy）のイベントとしてやりましょうということになった。そのとき吉増さんを「一二郎池」へとご案内したのだが、全体の記録が、当時、研究員であった平倉圭さんによって六分あまりのヴィデオ作品（「眼の底」）としてまとめられた。ヴィデオは、ＵＴＣＰのサイトでいまでも観ることができる（http://utcp.c.u-tokyo.ac.jp/blog/2007/12/post-41/）。

（2）　いまでは「駒場東大前」とひとつの駅だが、かつては「東大前」と「駒場」と駅が二つあった。

（3）　この講演要旨は、東京大学教養学部が発行している「教養学部報」第三四六号（昭和六十三年二月号）に、わたし自身の「文責」で発表されている。

（4）　拙著『こころのアポリア――幸福と死のあいだで』（羽鳥書店、二〇一三年）所収の「24　呼びかけ――吉増剛造『オシリス、石の神』」を参照のこと。

（5）　送られてきたファックスには、もう一枚Gozoさん手描きの地図があって、そちらは一九六六年から一九七〇年まで住んでらした東北沢の「錦水荘という木造アパートの角の二階の八帖」の地図。「たしか北沢川or支流が流れていて家が傾いたりしました（〃下北沢不吉〃でしたね）」とあった。こちらのMizuの地図Chizuを訪ねる歩行も計画したのだが、すでに字数が尽きてしまった。

FORGET ANY PINK!（2022）

＊　二〇二二年三月十一日、京都芸術大学で開催された国際会議「AG × KANSAI 2022」（ARAKAWA＋GINZ TOKYO OFFICE／関西大学共催）の冒頭の基調講演として科学者の池上高志と行った対話において読み上げたテクスト。水声社から二〇一五年に刊行することができた『幽霊の真理』に収録した一九九二年から二〇〇五年にかけて計七回行った荒川修作との対話の延長で、ふたたびかれに呼びかけようとしたテク

スト。『幽霊の真理』からの引用を多数含む。
（1）　以下、本テクストで引用される「WE ARE TOLD TO FORGET ABOUT PINK」などの英文は、荒川修作の絵画作品《Forget Everything》（一九七一年）《Pink》、（一九七一―七二年）などからの引用である。これらの作品は、一九九一年十一月に東京の佐谷画廊で開かれた「荒川修作――無題の形成」展に出品されたものである。この展覧会のために、わたしは「FUROR SANCTUS あるいは荒川修作を読むための方法素描」という短いテクストを書いた。それが、ある意味では、わたしと荒川修作との「出会い」であった。そのとき、わたしは Furor（激しさ）というその後のわたしの「存在の冒険」にとっての指示記号を手に入れた。そのテクストのなかで、わたしは「奇妙なことだ。荒川修作の作品がわれわれに教えてくれるのは、絵を描くということがどれほど不可能なことか、気違いじみて不可能なことかということである」と書いていた。そして、その末尾は「芸術の使命とは、おそらく作品というパラドックスを通して、われわれがすでに不死であったことを証明することにあるのだろう。荒川修作は、このことをはっきりと知ったのだ」であった。

あなたは、ほんの少しだけだが、天使的になる……（2016）

＊　国立新美術館「MIYAKE ISSEY」展カタログ、二〇一六年所収（原題「プリーツ」）。なお、前掲の「ギ・装置Mの降誕祭」の註で参考として挙げた拙著『大学は緑の眼をもつ』（未来社）には、一九九四年六月に、わたしが三宅一生を東京大学に招いて行った講演／ファッションショー「クリエーションのダイナミクス」の様子が日記体で書かれている。
（1）　このときはまだ、織物の布を形にしたあとでプリーツをかけるという方法であった。それが、一九九一年、編み物ニットの布地を使うようになる。さらに毎シーズンごとに素材も方法も改良され、一九九三年に現在のブランド《PLEATS PLEASE（プリーツプリーズ）ISSEY MIYAKE》として確立した。

ここでは、数年に渡るこの〈連続革命〉の具体的な詳細には立ち入らず、全体をひとつの〈革命〉として透視していることをお断りしておく。しかし、このブランド化への最後のジャンプの契機となったのが、世紀の振付家であるウィリアム・フォーサイスのダンスのためのコスチュームのデザインであったことは特筆しておくべきかもしれない。ダンスという全身の〈自由〉のために、〈軽さ〉そのものが折りたたまれなければならなかったのだ。

木蓮の樹の下で（2017）

＊『日高理恵子作品集』ヴァンジ彫刻庭園美術館、二〇一七年所収。

Cosmogarden へようこそ（2007）

＊ 黒田アキ『COSMOGARDEN COSMOJUNGLE』青幻社、二〇〇七年所収。なお、黒田アキとは、一九九九年にマーグ画廊から、かれの版画とわたしの仏語テクストをアレンジした、二十部限定のミニ詩画集『Le passage de l'ange』（天使のパッサージュ）を刊行した。この内容は、後述の「青、その宇宙的愚行」に収められている。

青の祈り、どこまでも限りなく……（2022）

＊ 二〇二二年三月、金沢21世紀美術館「Blue」展に関連して行った講演会「青の美術史」において語ったことをベースに、過去に「青」をテーマにして書いた詩的テクストをアレンジして、あらたに書きおろしたテクスト。わたし自身にとっての「青のポエジー」の道行きを跡づけたもの。

（1）「青、その宇宙的愚行——A・Kのために」（『思考の天球』水声社、一九九八年）。

（2）『青の美術史』ポーラ文化研究所、一九九九年（平凡社ライブラリー、二〇〇三年）。

（3）第四回ロレアル賞連続ワークショップ「色――科学と芸術の出会い」、「青のフェスタ……生死のあわい」（二〇〇〇年十二月十五日）。ゲストは、画家の堀本恵美子、詩人の野村喜和夫、倉田比和子、浜田優の諸氏でわたしがモデレーターをつとめた。なお、この「色」をテーマにしたロレアル賞連続ワークショップは、一九九八年から二〇〇六年まで十回にわたり、各分野の専門家を招いて、それぞれ五回つまり合計五十回のワークショップを行ったが、科学者の永山国昭とともに、そのすべてのモデレーターをわたしがつとめた。

（4）「青の神秘――Viktor & Rolf の『青』展」（『こころのアポリア――幸福と死のあいだで』羽鳥書店、二〇一三年）。

（5）「〈即今《いま》〉、カタストロフィー」（セゾン現代美術館「引き裂かれる光」展（二〇一二年七月六日―九月三十日）のパンフレット）より。

見ることの冒険、激しく、終りなく……（2022）

＊　二〇二二年四月、本書コーダとしての書き下ろし。

（1）　マルグリット・デュラス『死の病い・アガタ』小林康夫＋吉田加南子訳、朝日出版社、一九八四年、二〇、四九頁。

あとがき

本書は、一言で言えば、これまでわたしが書いた現代アートに関するテクスト論集である。ただし、既刊の単著に収録されているものは除いている。執筆の年代は、九〇年代半ばから現在に至るまでのおよそ三十年あまり。その度ごとに依頼されて展覧会カタログなどに寄稿したものが中心であるが、その余白に、本書の企画が立ち上がった時期に、たまたま関西大学主催の「荒川修作」シンポジウム、金沢21世紀美術館主催の「Blue」展の関連イベントに招かれてトークを行ったこともあり、そこで発表したテクストも収録させていただいた。

だが、すでに最後の「〈見ること〉の冒険、激しく、終りなく……」でも触れているように、本書は、現代アート論評集というよりは、アートへと接近するわたしなりのクリティークの方法を、ある種のゆるやかな物語《レシ》の構成として編集したものである。このアイデアは、水声社の編集者・関根慶さんによるもので、その意味では、本書は、二人の「共作」でもある。ここにあらためて、関根さんに感謝を申しあげたい。

また、このような二重の様相をもつ厄介な本書に対して、わがエクリチュールに重心を置いた卓抜な装丁をしてくださった宗利淳一さんにも感謝を申しあげる。

わたしは、自分はかならずしも美術研究者でも、アートを専門とする批評家でもなく、ただひたすらアートの世界から学ぼうとしてきただけの人間だと思っている。そのようなわたしに、学びの機会を与えてくださった、それぞれのテクストの依頼者の方々には、あらためて深い感謝を捧げたい。それぞれの機会に、わたしの「全霊」というよりは、「全魂」をあげて、取り組んだささやかな「学び」が集まって、このように一冊の本として存在することに、不思議な感動を覚えている。

みなさま、ありがとうございました。

二〇二二年五月七日

小林康夫

著者について──

小林康夫（こばやしやすお）　一九五〇年、東京都に生まれる。東京大学名誉教授。哲学者。主な著書には、『不可能なものへの権利』（書肆風の薔薇／水声社、一九八八年）、『表象の光学』（未来社、二〇〇三年）、『絵画の冒険』（東京大学出版会、二〇一六年）、『宮川淳とともに』（共著、水声社、二〇二一年）、主な訳書には、ジャン＝フランソワ・リオタール『ポスト・モダンの条件』（水声社、一九八九年）、共編著には、『知の技法』（東京大学出版会、一九九四年）などがある。

装幀——宗利淳一

クリスチャンにささやく――現代アート論集

二〇二二年五月三〇日第一版第一刷印刷　二〇二二年六月一〇日第一版第一刷発行

著者――小林康夫

発行者――鈴木宏

発行所――株式会社水声社

東京都文京区小石川二―七―五　郵便番号一一二―〇〇〇二

電話〇三―三八一八―六〇四〇　ＦＡＸ〇三―三八一八―二四三七

［編集部］横浜市港北区新吉田東一―七七―一七　郵便番号二二三―〇〇五八

電話〇四五―七一七―五三五六　ＦＡＸ〇四五―七一七―五三五七

郵便振替〇〇一八〇―四―六五四一〇〇

URL : http://www.suiseisha.net

印刷・製本――ディグ

ISBN978-4-8010-0640-9

水声文庫

映画美学入門　淺沼圭司　四〇〇〇円
制作について　淺沼圭司　四五〇〇円
宮澤賢治の「序」を読む　淺沼圭司　二八〇〇円
昭和あるいは戯れるイメージ　淺沼圭司　二八〇〇円
物語るイメージ　淺沼圭司　三五〇〇円
物語と日常　淺沼圭司　二五〇〇円
平成ボーダー文化論　阿部嘉昭　四五〇〇円
幽霊の真理　荒川修作・小林康夫　三〇〇〇円
『悪の華』を読む　安藤元雄　二八〇〇円
フランク・オハラ　飯野友幸　二五〇〇円
映像アートの原点　一九六〇年代　飯村隆彦　二五〇〇円
バルザック詳説　柏木隆雄　四〇〇〇円
ヒップホップ・クロニクル　金澤智　二五〇〇円
アメリカ映画とカラーライン　金澤智　二八〇〇円
三木竹二　木村妙子　四〇〇〇円
ロラン・バルト　桑田光平　二五〇〇円
危機の時代のポリフォニー　桑野隆　三〇〇〇円
小説の楽しみ　小島信夫　一五〇〇円
書簡文学論　小島信夫　一八〇〇円
演劇の一場面　小島信夫　二〇〇〇円
クリスチャンにささやく　小林康夫　二五〇〇円
《人間》への過激な問いかけ　小林康夫　三〇〇〇円
死の秘密、《希望》の火　小林康夫　三八〇〇円
零度のシュルレアリスム　齊藤哲也　二五〇〇円
実在への殺到　清水高志　二五〇〇円
マラルメの〈書物〉　清水徹　二〇〇〇円
美術・神話・総合芸術　白川昌生　二八〇〇円
美術館・動物園・精神科施設　白川昌生　二八〇〇円
西洋美術史を解体する　白川昌生　一八〇〇円
贈与としての美術　白川昌生　二五〇〇円
美術、市場、地域通貨をめぐって　白川昌生　二八〇〇円

戦後文学の旗手 中村真一郎　鈴木貞美　二五〇〇円
シュルレアリスム美術を語るために　鈴木雅雄・林道郎
二八〇〇円
サイボーグ・エシックス　高橋透　二〇〇〇円
(不)可視の監獄　多木陽介　四〇〇〇円
マンハッタン極私的案内　武隈喜一　三二〇〇円
黒いロシア白いロシア　武隈喜一　三五〇〇円
魔術的リアリズム　寺尾隆吉　二五〇〇円
桜三月散歩道　長谷邦夫　三五〇〇円
マンガ編集者狂笑録　長谷邦夫　二八〇〇円
マンガ家夢十夜　長谷邦夫　二五〇〇円
未完の小島信夫　中村邦生・千石英世　二五〇〇円
ブラック・ノート抄　中村邦生　二五〇〇円
幽明譚　中村邦生　二八〇〇円
転落譚　中村邦生　二八〇〇円
オルフェウス的主題　野村喜和夫　二八〇〇円
パラタクシス詩学　野村喜和夫＋杉中昌樹　三〇〇〇円
越境する小説文体　橋本陽介　三五〇〇円
ナラトロジー入門　橋本陽介　二八〇〇円
カズオ・イシグロ　平井杏子　二五〇〇円
カズオ・イシグロの世界　平井杏子＋小池昌代＋阿部公彦＋中川僚子＋遠藤不比人他　二〇〇〇円
カズオ・イシグロ『わたしを離さないで』を読む　田尻芳樹＋三村尚央＝編　三〇〇〇円
カズオ・イシグロと日本　田尻芳樹＋秦邦生＝編
三〇〇〇円
「日本」の起源　福田拓也　二五〇〇円
〈もの派〉の起源　本阿弥清　三二〇〇円
絵画との契約　山田正亮再考　松浦寿夫＋林道郎他
二五〇〇円
現代女性作家の方法　松本和也　二八〇〇円
現代女性作家論　松本和也　二八〇〇円
川上弘美を読む　松本和也　二八〇〇円
太宰治『人間失格』を読み直す　松本和也　二五〇〇円
ジョイスとめぐるオペラ劇場　宮田恭子　四〇〇〇円
福永武彦の詩学　山田兼士　二五〇〇円
魂のたそがれ　湯沢英彦　三二〇〇円
金井美恵子の想像的世界　芳川泰久　二八〇〇円
歓待　芳川泰久　二二〇〇円
宮川淳とともに　吉田喜重＋小林康夫＋西澤栄美子
一五〇〇円

［価格税別］